# 目 录

# 序

　　本书是供初中等"汉语水平考试"(即 HSK)应考者使用的强化训练习题集,目的是使你在较短的时间内熟悉 HSK 的考试形式,进一步提高汉语水平和应试能力。本书有以下几个特点:

　　1. 语言点全,重点突出。目前,HSK 命题主要参照《汉语水平考试词汇和汉字等级大纲》与《汉语水平等级标准与语法等级大纲》,后者尤其重要。本书语法部分的习题几乎涵盖了该大纲所规定的所有语言点,并且对"了"、"把"、"使"等必考的难点加大了题量,可以使你在短时间内全面提高语法应试能力。

　　2. 解析题型,发现规律。本书的"HSK 应试准备与技巧"部分,对"汉语水平考试"每一种题型和要求都做了分析和说明,并告诉你一些非常有用的应试技巧。比如,本书对"听力理解"三个部分不同的特点和要求进行了逐一分析,还归纳出了第二部分最为常见的十种题型,可使你迅速发现规律,事半功倍。

　　3. 题目典型,难度加大。本书共有八套模拟试题,题量很大,但每个题目在编排上,都力求体现出 HSK 最新的命题思路,并具有典型性和针对性。由于与前几年相比,HSK 的难度有加大的趋势,所以我们的模拟题也适当增加了难度,以提高应考者的实战能力。

　　需要说明的是,HSK 是一种测量应考者综合汉语水平的考试,不以任何教材或教程为依据,仅仅依靠自己学过的某种教材去复习准备,很难达到系统巩固和全面提高的目的。我们建议你将本书与自己所用的教材结合起来,全面复习,重点巩固。语言水平的提高绝非一日之功,这本书也许可以帮助你尽快提高 HSK 成绩,但如果你希望真正提高汉语水平,就要付出长期不懈的努力。

　　本书的两位编者袁冰和赵延风都是长期从事对外汉语教学的专业教师,分别任教于北京师范大学对外汉语教育学院和北京大学对外汉语教学中心。如果你在学习中有什么问题或意见,欢迎你和我们联系,我们一定会尽快答复。我们的电子信箱(e-mail)是:yb@pku.cdu.cn。

# HSK 应试准备与技巧

　　HSK 试卷共有四项,即"听力理解"、"语法结构"、"阅读理解"和"综合填空"。这四项的测试目标各不相同,因此其试题内容、数量和比重也有所不同。下面我们分别就这四项的测试内容进行简单的描述和分析,并试着归纳出准备时应注意的一些要点。

## 听力理解

### (50 题,约 35 分钟)

　　听力理解主要测试考生对正常语速(170－220 字/分钟)的句子、对话和一般性题材讲话的理解能力。具体要求是:
1. 了解所听到的句子、简要的对话和讲话的大意。
2. 跳越障碍,抓住其中的主要信息和重要细节。
3. 根据所听到的材料进行推理和判断。
4. 理解说话人的态度和目的。

---

#### 应试准备与技巧

1. 熟悉各种提问形式。常见的提问形式有:
   * 说话人可能是做什么的?
   * 说话人之间最可能是什么关系?
   * 对话可能发生在什么地方?
   * 两人在谈论什么?
   * 男(女)的是什么口气?
   * 男的对女的的建议是什么态度?
   * 会议应该几点开始?
   * 男(女)的的话是什么意思?
   * 从对话中我们知道什么?
   * 这句话告诉我们什么?
   * 下面哪句话是正确/错的?
   * 下面哪句话最合乎对话的意思?

2. 快速阅读并分析选择项，推断谈话内容和将要出现的问题。比如，你看到下面四个选项：

    A. 8：15

    B. 7：30

    C. 7：45

    D. 8：00

可以知道谈话中一定涉及时间内容，问题也是关于时间方面的。再比如下面四个选项：

    A. 张华没有考上研究生

    B. 张华不想上研究生，因为他想先工作

    C. 张华没有参加研究生考试

    D. 张华已经开始上研究生了

从中可以推测，谈话中将出现一个叫张华的人，内容是关于他上研究生的问题，可能会涉及考试情况，因此你要特别注意这些方面的关键词语。

3. 注意陷阱。一般说来，每个选项都会和材料中的某一点有一定的联系，在错误的选项中，这种联系是用来迷惑考生的，我们称之为"陷阱"。陷阱可以由同音词、语气、重音、惯用语、停顿等引起。特别应该注意的是反问句，它常会改变整个句子的句面语义。

4. 记一些简单的笔记。在听的过程中，特别是听力材料较长的时候，记下一些要点是十分必要的，如数字、列举的几种方法等。听了后面忘了前面是非常让人苦恼的，也是经常发生的，尽管你可能都听懂了。

# 第一部分

(15 题)

这部分试题都是一个人说一句话，第二个人根据这句话提一个问题，考生听完后应在试卷上的四个选择项中选择最恰当的答案(在答卷上划出相应的字母)。每个句子及问题只读一次，且都不出现在试卷上。每一个问题之后的答题时间为 15—20 秒。

## 应试准备与技巧

单句理解是听力训练的基本功。因为并无上下文可以利用，所以一定要听准每一个关键词，抓住句中的要点。此外，还有几个方面是应该特别注意的：

1. 单句中的语法要点。这些要点常常是理解单句的关键，所以考生要熟练掌握初中级大纲要求的固定格式和复句。

2. 易混淆的词。这常常是陷阱所在。比如"长城"和"城墙"，"会来"和"回来"等等。这类情况十分普遍，应认真练习。

3. 固定词组。固定词组常常是单句的核心，熟练掌握大量固定词组的用法及其正确读音，这类题便能迎刃而解。

4. 有关这一部分试题的分类,可参看第二部分。

# 第二部分

### (20题)

这一部分试题,都是一男一女两个人的简短对话,然后由第三个人提出一个问题。考生听完后应在试卷上的四个选择项中选择最恰当的答案(在答卷上划出相应的字母)。每个对话及问题只读一次,且都不出现在试卷上。每一个问题之后的答题时间为 15—20 秒。

> 应试准备与技巧

这一部分是第一部分单句测试的延伸,应特别注意以下几个方面:

1. 对话的内容广泛,涉及社会生活的许多方面,其中日常生活和学校生活内容占有相当大的比重。

2. 语体一般为口语语体,因此有时会出现一些日常惯用语;两个人说话的口气可能影响语义。

3. 信息量更大,陷阱也更多。一般只有将两个人的话都听懂,理解了整个对话的全部意思,才能作出正确选择。

4. 按照内容和提问方式,这个部分的试题大体可以分为以下十种类型。每一个类型都有自己的特点,因此也有相应的解题技巧。这些技巧同样适用于第一部分的单句测试:

一、辨别身份和关系

　　1. 根据与某一职业有关的词汇来辨别有关人的身份、工作或职业。要抓住关键词语,同时注意陷阱。比如:有一题中,出现了"用功"、"看书"、"做饭"、"工厂"、"采访"等好几个可能与身份、工作或职业有关的词,但只有"采访"一词是关键,其余都是陷阱。

　　2. 根据话题来推断说话人之间的关系。常见的有:老师与学生、售货员与顾客、病人与医生、夫妻、恋人、孩子和父母等。一般表明关系的称呼不会出现,因此不能靠出现的称呼作出判断。

二、辨别谈话地点

　　根据话题来辨别对话发生的场所。这种题型陷阱较多,只根据零星词语进行判断是危险的。

三、与数字有关的提问

　　包括时间(整点、半点、一刻、三刻)、年龄、价格、电话号码、温度等。常需要做简单的数学运算。

四、谈论一个人

姓名是不少人学习汉语时常常忽略的一项内容,因此也是听力中的一个难点。你平时应该留心中国人姓名中常用的字,特别是姓。听的时候,尽量从选择项中提前知道被谈论者的姓名,这样就不至于把一个不熟悉的姓名当成生词。

## 五、特定句式表示同意或有异议

这种题型中,由反问句式来表达说话人态度的题目占有相当比重,应格外注意。当然,说话人的口气也不能忽略。

## 六、辨别说话人的口气

口语中常用的惯用语能够表明说话人的态度,另外说话人的语气中也会透露一些信息。特别注意,你不能根据自己的看法想当然地选择,一定要以对话内容为依据。

## 七、谈论一件事

根据对话中所提到的线索来判断话题或事情的某一细节,这种题目要先从选择项中猜测一下,判断事情是什么性质的,可能就什么提问,然后在听的过程中,依次判断四个备选答案是不是正确。比如,有这样一个题,从选择项中猜测出谈话内容可能涉及椅子、钥匙、眼镜或雨伞,听第一句话,发现其中有"配"这一动词,它只能与钥匙和眼镜搭配;听第二句话,有"把"这个钥匙的量词,就可以知道答案选择"钥匙"是正确的。

## 八、辨别说话人的意图

在这类试题中,常常谈到说话人将要做某事或请求别人去做某事,听时要注意辨别说话人真实的意图和句面的语义,另外应该格外小心选择项中似是而非的答案。比如,一个题中,说话人没有直接说她想借词典,可是"你的《英汉词典》用不用?"表达了这一意图,如果你不能体会,很容易作出错误的选择。

## 九、寻找前因后果

这类题目是关于事情的原因和结果方面的。它们的难点在于"因为""所以"之类的词很少出现,需要根据语境进行判断。另外,谈话者常常在真实理由的前后附加一些说明,这样也增加了题目的难度。

## 十、辨别谈话所涉及到的人或事物

这一部分的内容是从谈话所提到的诸多因素中选择一个正确的。一般来说,被提到的干扰因素至少两个以上,好在这些因素也常常会出现在选择项当中,你可以提前阅读选择项,对它们有一个心理准备。

# 第三部分

(15题)

这部分试题,是几段较长的对话或讲话。每段话之后,第二或第三个人根据对话或讲话提出若干个问题。每一个问题之后的答题时间为 15—20 秒。

应试准备与技巧

1. 每一段话之前，都会有提示，如"36到38题是根据下面一段对话"，这时你应该快速浏览36—38题的选择项，预测选段类型，辨别主题。
2. 集中注意力听懂前面几句话，在非小说体裁中，这些话常常是整段话的主题句。
3. 注意记录所听到的数字，如果在选项中有数字出现。
4. 如果有比较短的选项，要随时准备作一些标记，因为很可能会有"下面哪一点没有提到？"这样的问题在后边等着你。
5. 注意正确答案很少使用与原文完全相同的词汇，错误的选项常常使用原文中的词汇来迷惑你。
6. 有几类问题在这部分试题中经常出现：文章的主要意思；文中谈到的主要事实和理由；说话人的看法和感想。

# 语法结构

（30题，20分钟）

这一项试题，主要测试你对汉语普通话语法结构的掌握程度。测试重点为：
1. 常见的量词、方位词、能愿动词、副词、介词、助词、连词等的用法。
2. 动词、形容词和名词的重叠。
3. 几种主要补语、状语和定语的用法。
4. 语序。
5. 比较的方式。
6. 提问的方式。
7. 常用词组和习惯用语。
8. 常用复句。

## 第一部分
（10题）

这一部分试题，每一题都是一个不完整的句子，句子下面都有一个指定的词语，句中有四个供选择的位置，请你找出最合适的一个。

这类试题是汉语水平考试中比较独特的题型，与汉语"没有词的标志"的特点紧密相关。这一部分的测试重点在：
1. 副词
2. 助词
3. 介词

**4. 复句**

这部分的内容较少涉及到实词,只偶尔出现。

---

应试准备与技巧

1. 学会判断词性。虽然汉语词性的划分常常并不清晰,但是虚词和实词的区别还是十分明显的。当你判断出所给词的词性以后,就可以用排除法进行选择了。比如,"马上"、"必须"、"就"、"还"等副词通常是不会放在一个名词或名词性成分之前的,这一点和介词有很大的区别。

2. 了解一些用法较复杂的词的用法。比如,概数词"多"就是个非常麻烦的词,当数字是"十"、"百"、"千"、"万"时,"多"要放在量词的前边;而数字不大于 10 时,则要放在量词的后边。

3. "了"、"着"、"过"的用法,必须了然于心。特别是"了",可以表示动作的先后顺序,也可以表示变化;"着"可以表示持续,也可以表示方式。这些都应该做到心中有数。

4. 注意离合词,它们常是陷阱。比如,你只能说"睡了一觉",不能说"睡觉了一下";只能说"见过面",不能说"见面过"。

5. 注意各类特殊句型的否定形式。如"把"字句、"被"字句的否定式,其否定词都在这两个词的前边。

6. 注意弄清楚句中各成分之间的关系,这样才能进行有效的选择。

# 第二部分
(20题)

这一部分试题,先给你一个带有一个或一个以上空格的句子,然后给你四个选项,请你判断哪一个是最恰当的。

这是语言测试中最为普遍的一种方式,出题范围较第一部分广。

---

应试准备与技巧

1. 搞清最常见的几组比较容易混淆的介词的用法。如"把"、"被"、"由"、"将"、"使"、"给"组,"为"、"给"、"对"组,"往"、"由"、"从"、"到"组等。

2. 熟悉一些特定的复句和连词的用法。

3. 一些容易混淆的词应格外注意。如"忽然"和"突然",前者只能作副词,后者则还可以作形容词。再如"有点"和"一点"的区别,"有点"后边通常是表示消极意义的形容词。如:有点累,有点贵,有点冷等。而"一点"则可以放在动词的后边,代替所省略的名词。如:吃一点(菜)吧。另外,"一点"可以放在表示积极意义的形容词的后边,表示建议。如:太贵了,便宜一点吧。在比字句中,只能用"形容词＋一点"的格式。这时,表示消极意义时,"一点"的前边可以有"了"。如:这双鞋我穿大了一点。总之,要记住:"有点"用在形容词之前,"一点"用在形容词之后。

4. 注意汉语的语序,包括重叠和定语语序。我们在练习题中有大量这方面的题目。

5. 量词。熟悉最基本的量词即可。

6. 方位词和趋向动词也是考试的重点。

7. 熟悉一些在丙级以内的成语。

# 阅读理解

(50题,60分钟)

这项试题由词汇和阅读两部分组成。

## 词汇部分

(20题)

这一部分试题,每题为一个句子,每一个句子中都有一个划线的词语,要求你从句子下面的四个选择项中挑选最接近该划线词语的一种解释。

应试准备与技巧

1. 这一部分试题主要考查你对词义理解的准确性,和你的词汇量是否足以阅读一定难度的文章。这其实是词汇掌握的两个方面,即"质"和"量"。关于"量"不必多说,而"质"即对词义准确、全面的把握应当是你学习的重点,也是此项考试的重点,因为它是正确理解的基础。

2. 许多词有不止一个词义,每一个词义也许有不止一个同义词或近义词,发现这些词义之间细微的差别是词汇学习的核心内容,也是"高精度"理解的根本所在。因此我们建议你及时地总结你所学到的同义词和近义词,并试着根据不同的语境区别它们。这样就建立了词与词之间的联系,形成一个个的"组",既有趣味,又便于记忆。

3. 如果某个划线词你不认识,你应该根据上下文来推断划线词的词义,从而在四个选择项中挑出最接近的那一个。这种基本的阅读技能也正是此项考试的目的。

4. 要注意惯用语,它们也是很容易让你落入"陷阱"。

# 阅　读

　　这部分试题,分别选择若干题材、体裁、长度、难易程度不同的阅读材料,每一篇材料后提出若干个问题,要求你选择最恰当的答案。

　　这部分试题,主要测试你的阅读能力和速度,具体要求是:

　　1. 掌握所读材料的主要用意和大意。

　　2. 了解所读材料的主要事实和信息。

　　3. 跳越障碍,捕捉所需的某些细节。

　　4. 根据所读材料进行引申和判断。

　　5. 领会作者的态度和情绪。

---

> ## 应试准备与技巧

　　1. 掌握所读材料的主要用意和大意,即找出文章的主题和中心。为此,必须排除与主题无关的信息的干扰,找出作者的观点。常见的提问方式为:这篇文章的主要意思是什么? 常见的"陷阱"是选项中与中心论点无关的细节。

　　2. 了解所读材料的主要事实和信息。文章的论点或主题总是需要论据加以说明的,这些论据即是文章的主要事实和信息,也是文章的主干,它们常常是提问的重点,问题的比例相对较大;提问方式多种多样,并无定式。

　　3. 跳越障碍,捕捉所需的某些细节。考试所选文章的题材不拘一格,很可能超出你的专业领域,因此读起来不是那么好懂,特别是科学方面的文章,总有些专业术语,你可能从来没见过,但不难根据上下文进行判断,毕竟这些文章只是给一般读者而不是给专家看的。

　　4. 根据所读材料进行引申和判断。有些文章给你材料和论据,让你自己去推出结论。

　　5. 领会作者的态度和情绪。这个内容不能直接从文章中找到答案,需要仔细揣摩文章的用词、句式和内涵。常见的提问方式有:作者是什么态度? 作者的心情是怎样的?

　　6. 要达到这些要求,你阅读一般性文章的速度应为 150 字/分钟,较复杂的文章不应低于120 字/分钟。阅读的题材主要有两类,即科学性质的和社会评论性质的。前一类涉及的领域很广泛,如生物、电子、考古等。但必须注意,即使其中的某一篇在你的专业领域之内,你也不应大意,更不能完全靠你的知识来做题,必须以文章本身的内容为准,不管你是否同意其观点。后一类关键是要发现作者的观点,作者或根据某种现象得出一个结论,或对某一现象进行褒贬,小心不要把作者所"扬"与所"抑"混淆。

　　7. 答题时,迅速看一下段后的几个问题,以便确定阅读重点,为答题作准备,但选择项不必细读,一则你现在无法选择,二则你也记不住。

　　8. 带着问题去阅读,确定文章的要点。文章中的定义、结论、数字不可放过。

9. 这部分试题题量最大,有些题需要的时间也可能多一些,但做任何一道题的时间都不可过长,因为每一题的分数是相同的。

# 综合填空
## (40 题,30 分钟)

这个部分有两种题型,测试你依靠上下文应用语言的能力和书写汉字的能力。

# 词语填空
## (24 题)

在这一部分,你看到的是一些小段落,每段中都有一些空儿,每个空儿有四个选项,需要你根据上下文的意思选出最合适的一个。

这部分的题型看起来与语法填空相似,其实有较大的不同,尽管目前题目中两者的区别不大,但将来一定是这种趋势。与语法填空相比,这部分的题目更注重上下文的衔接,因此连词、代词、介词、语气词、复句甚至插入语将会成为测试重点。

```
应试准备与技巧
```

1. 语法结构部分的应试技巧仍然有效,因为这是构成正确句子的基础,因此词义相近的副词、动词、形容词的区别不容忽视。
2. 特别注意汉语的代词有许多不同于其它语言的地方。
3. 注意连词和复句。
4. 根据上下文判断作者的语气。

# 汉字填空
## (16 题)

这一部分主要从常见的通知、请柬、海报、便条等应用性文体上选取语料,目前,范围有扩大的趋势,如新增的招聘、征婚启事等。每段语料中都有若干空,要你填出所缺汉字,但不提供任何选择项。测试重点虽然是汉字,但是同样也在理解和词汇上。一般说来,汉字的级别难度并不高,但是要求你掌握一般中文应用文的书写惯例。

1. 对甲乙两级汉字要熟练掌握,同时熟悉由其构成的词汇。

2. 熟悉一般中文应用文的书写惯例和一些惯用法。比如,中国人在冬天送别客人的时候,常会说"别感冒了"。如果你不了解这一习惯,即使你会写"感冒"这两个字,恐怕也很难填出缺掉的"冒"字。

3. 一定要先把语段通读一遍,然后再做;做完以后再读一遍,看看意思是否符合逻辑,语气是否通畅。

# 模拟试卷(一)

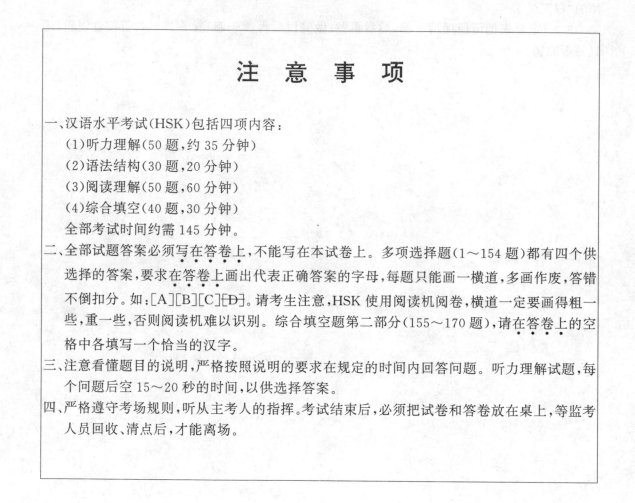

## 注 意 事 项

一、汉语水平考试(HSK)包括四项内容:

    (1)听力理解(50 题,约 35 分钟)

    (2)语法结构(30 题,20 分钟)

    (3)阅读理解(50 题,60 分钟)

    (4)综合填空(40 题,30 分钟)

    全部考试时间约需 145 分钟。

二、全部试题答案必须写在答卷上,不能写在本试卷上。多项选择题(1~154 题)都有四个供选择的答案,要求在答卷上画出代表正确答案的字母,每题只能画一横道,多画作废,答错不倒扣分。如:[A] [B] [C] [Đ]。请考生注意,HSK 使用阅读机阅卷,横道一定要画得粗一些,重一些,否则阅读机难以识别。综合填空题第二部分(155~170 题),请在答卷上的空格中各填写一个恰当的汉字。

三、注意看懂题目的说明,严格按照说明的要求在规定的时间内回答问题。听力理解试题,每个问题后空 15~20 秒的时间,以供选择答案。

四、严格遵守考场规则,听从主考人的指挥。考试结束后,必须把试卷和答卷放在桌上,等监考人员回收、清点后,才能离场。

# 一、听力理解

(50题，约35分钟)

## 第一部分

说明：1～15题,这部分试题,都是一个人说一句话,第二个人根据这句话提一个问题,请你在
四个书面答案中选择惟一恰当的答案。

例如：第8题,你听到：

第一个人说：……

第二个人问：……

你在试卷上看到四个答案：

A. 七点十分　　B. 七点　　C. 十点七分　　D. 六点五十

第8题惟一恰当的答案是D,你应在答卷上找到号码8,在字母D上画一横道。横道一
定要画得粗一些,重一些。

8.[A]　[B]　[C]　[D̶]

1. A. 衣服
   B. 面包
   C. 电视
   D. 热水瓶

2. A. 这个地方夏天常常下雨
   B. 这个地方冬天常常下雪
   C. 这个地方夏天常常不下雨
   D. 今年冬天这个地方不常下雪

3. A. 8：45
   B. 8：00
   C. 6：15
   D. 7：45

4. A. 医生
   B. 播音员
   C. 售货员
   D. 家庭主妇

5. A. 说李明来晚了
   B. 问李明是什么时候来的
   C. 说李明来得正好
   D. 问李明是怎么来的

6. A. 王芳
   B. 王芳的哥哥
   C. 工芳的妈妈
   D. 妈妈的朋友

7. A. 早就见到了
   B. 没见到
   C. 只见了不到五分钟
   D. 五分钟后就可以见到

8. A. 说话人问一共有几种牛奶
   B. 说话人问哪种牛奶便宜
   C. 说话人决定买便宜的牛奶
   D. 说话人决定买质量好的牛奶

9. A. 说话人不认识这个中文老师
   B. 说话人对中文老师很不满意
   C. 中文老师的英文说得非常好
   D. 中文老师正在学习英文

10. A. 说话人请小王有机会去他家
    B. 说话人问小王要地址
    C. 说话人问小王什么时候去西安
    D. 说话人问小王什么时候到他家

11. A. 说话人是大学毕业生
    B. 说话人会用电脑
    C. 听话人不是大学毕业生
    D. 听话人学不会用电脑

12. A. 说话人每天很忙
    B. 说话人每天都能睡午觉
    C. 说话人呼吸很困难
    D. 说话人骑车上下班

13. A. 北京大部分胡同跟以前的样子差不多
    B. 北京的胡同都跟以前的样子一样
    C. 北京的胡同只有少数跟以前的样子差不多
    D. 北京现在只有很少的胡同了

14. A. 应该商量一下再走
    B. 路没问清楚,不能马上走
    C. 趁现在不热,应该马上走
    D. 说什么都要走

15. A. 请求
    B. 命令
    C. 抱怨
    D. 不在乎

第二部分

说明:16~35题,这部分试题,都是两个人的简短对话,第三个人根据对话提出一个问题,请你在四个书面答案中选择惟一恰当的答案。

例如:第22题,你听到:

22. 第一个人说:……

第二个人说:……

第三个人问:……

你在试卷上看到四个答案:

A. 睡觉 　　B. 学习 　　C. 看病 　　D. 吃饭

第22题惟一恰当的答案是C,你应在答卷上找到号码22,在字母C上画一横道。横道一定要画得粗一些,重一些。

22.[A] 　[B] 　[C] 　[D]

16. A. 售票员

　　B. 警察

　　C. 司机

　　D. 老师

17. A. 候车室

　　B. 汽车站

　　C. 停车场

　　D. 大商场

18. A. 女的觉得出租车开得太慢

　　B. 还要半个小时他们才能到电影院

　　C. 女的觉得应该坐出租汽车去

　　D. 男的并不着急

19. A. 小王没说完话就走了

　　B. 小王的演讲用了很长时间

　　C. 女的很喜欢听小王说话

D. 小王离开男的很高兴

20. A. 男的不认识小马

　　B. 女的不认识小马

　　C. 男的不喜欢小马

　　D. 女的认出了小马

21. A. 请女的参加他的婚礼

　　B. 让女的和他一起参加张远的婚礼

　　C. 准备请更多的人参加自己的婚礼

　　D. 不相信女的说的话

22. A. 男的不喜欢昨晚的演唱会

　　B. 男的身体不好没去

　　C. 女的是一个歌迷

　　D. 女的去看昨晚的演唱会了

23. A. 姐姐的法语还可以

B. 姐姐的法语很少出错
C. 姐姐的法语进步很大
D. 姐姐的法语进步并不大

24. A. 高兴
B. 惊讶
C. 意料之中
D. 担心

25. A. 椅子
B. 钥匙
C. 眼镜
D. 雨伞

26. A. 没买到衣服
B. 买到了很便宜的衣服
C. 他进城是去锻炼身体的
D. 交通很不方便

27. A. 他不太清楚
B. 问女的想去哪儿看看
C. 什么地方都去得花很多钱
D. 他觉得女的问得不太清楚

28. A. 晚上的聚会他一定来
B. 他给女的打来了电话
C. 他明天要结婚
D. 他邀请女的参加一个聚会

29. A. 明天去
B. 明天不能去
C. 他不想去

D. 哪天去都可以

30. A. 他不愿意帮她的忙
B. 他没听懂她的话
C. 他不认识张大夫
D. 他不是她想找的人

31. A. 回家了
B. 正在骑玩具车
C. 在湖边
D. 在草地上

32. A. 加油站的工作人员
B. 汽车公司的工作人员
C. 修手表的
D. 修自行车的

33. A. 画店
B. 美术馆
C. 书店
D. 剧院

34. A. 怎样在四小时内到达山顶
B. 走哪条路才能在四小时内到达山顶
C. 到达山顶至少需要四小时
D. 走这条路怎么都不会需要四个小时

35. A. 推测
B. 怀疑
C. 生气
D. 后悔

第三部分

说明:36~50题,这部分试题,你将听到几段简要的对话或讲话。每段话之后,你将听到若干个问题,请你在四个书面答案中选择惟一恰当的答案。

例如:第38~39题,你听到:

第一个人说:……

第二个人说:……

第三个人根据这段对话提出两个问题:

38. 问……

你在试卷上看到四个答案:

A. 食堂　　B. 商店　　C. 电影院　　D. 去商店的路上

根据对话,第38题惟一恰当的答案是D,你应在答卷上找到号码38,在字母D上画一横道。横道一定要画得粗一些,重一些。

38.[A]　[B]　[C]　[D]

你又听到:

39. 问……

你在试卷上看到四个答案:

A. 学习　　　B. 看电影　　C. 吃饭　　D. 买东西

根据对话,第39题惟一恰当的答案是B,你应在答卷上找到号码39,在字母B上画一横道。横道一定要画得粗一些,重一些。

39.[A]　[B]　[C]　[D]

36. A. 3 页
　　B. 4 页
　　C. 6 页
　　D. 7 页

37. A. 食品
　　B. 酒
　　C. 体育
　　D. 医学

38. A. 飞机起飞时
　　B. 飞机降落时
　　C. 飞机在空中飞行时
　　D. 旅客登机时

39. A. 近 12 小时
　　B. 近 24 小时
　　C. 近 30 小时
　　D. 近 36 小时

40. A. 65 人
　　B. 33 人
　　C. 35 人
　　D. 10 人

41. A. 这儿很富裕
　　B. 来这儿旅游的人很少
　　C. 对这儿的宣传很多
　　D. 到这里的路不好走

42. A. 担心
　　B. 冷淡
　　C. 赞同
　　D. 高兴

43. A. 中国的经济正在飞速发展
　　B. 电脑成为热点
　　C. 电脑在中国的普及和购买情况
　　D. 电脑在家庭中的普及率

44. A. 被调查者的职业
　　B. 被调查者的收入
　　C. 被调查者的年龄
　　D. 被调查者的文化水平

45. A. 家庭教育
　　B. 工作、业务
　　C. 提高自身素质

D. 用于娱乐

46. A. 河北
　　B. 北京
　　C. 辽宁
　　D. 山东

47. A. 男的完全不知道
　　B. 女的完全不知道
　　C. 男的认为有两方面原因
　　D. 男的完全同意女的的看法

48. A. 3 个
　　B. 4 个
　　C. 5 个
　　D. 6 个

49. A. 美国
　　B. 英国
　　C. 泰国
　　D. 北非

50. A. 美国
　　B. 英国
　　C. 泰国
　　D. 北非

# 二、语法结构

(30题,20分钟)

## 第一部分

说明:51～60题,在每一个句子下面都有一个指定词语,句中ABCD是供选择的四个不同位置,请判断这一词语放在句了中哪个位置上恰当。

例如:

55. 我们 A 一起 B 去上海 C 旅游 D 过。

　　　　　没有

"没有"只有放在句中 A 的位置上,使全句变为"我们没有一起去上海旅游过",才合乎语法。所以第 55 题惟一恰当的答案是 A,你应在答卷上找到号码55,在字母 A 上画一横道。横道一定要画得粗一些,重一些。

55. [A]　[B]　[C]　[D]

51. A 请你 B 吃 C 一点 D 吧,这种菜很好吃,不必客气。

　　　　　多

52. 我早就说过,李力 A 看书 B 王强 C 看得快 D。

　　　　　没有

53. 张平不在,他吃 A 过饭 B,就到 C 教室去 D。

　　　　　了

54. 不要说 A 现代汉语,B 就 C 古代汉语 D 我也看得懂。

　　　　　连

55. 自从两个人吵架 A 以后 B,他跟李明没说 C 一句话 D。

　　　　　过

56. 你看,那位 A 女 B 老师就是王芳 C 妈妈 D。

　　　　　的

57. A 这 B 是 C 我童年居住过 D 的小城,分明是一个现代化的都市。

　　　　　哪里

58. 他们 A 以前 B 关系并不好,C 不料现在 D 成了夫妻。

　　　　　竟

59. A 我们 B 通过解释都明白了 C 对方 D 的观点。

彼此

60. 这里东西 A 很 B 便宜,C 是蔬菜和水果 D。

尤其

# 第二部分

说明:61~80 题,每个句子中有一个或两个空儿,请在 ABCD 四个答案中选择惟一恰当的填上(在答卷上的字母上画一横道)。

例如:

67. 我昨天买了一_____钢笔。

    A. 件    B. 块    C. 支    D. 条

我们只能说:"我昨天买了一支钢笔",所以第 67 题惟一恰当的答案是 C,你应在答卷上找到号码 67,在字母 C 上画一横道。横道一定要画得粗一些,重一些。

67. [A]    [B]    [C]    [D]

61. 这个教室里还少一_____桌子。

    A. 把

    B. 条

    C. 面

    D. 张

62. 飞机马上_____起飞了,怎么还不见他的影子?

    A. 已经

    B. 正要

    C. 就要

    D. 正在

63. 这次你不批评他,下次他肯定_____会犯类似的错误。

    A. 也

    B. 仍

    C. 重

    D. 再

64. 你怎么能_____环境保护与现代化建设对立起来呢?

    A. 为

    B. 把

    C. 用

    D. 以

65. 不仅是在技术方面,我们要_____你们公司学习的地方还有很多。

    A. 对

    B. 往

    C. 向

    D. 朝

66. 他告诉过我他的电话号码,可我一时想
不_____了。
A. 上来
B. 起来
C. 过来
D. 出来

67. 这个意外的消息_____在场的人都
大吃一惊。
A. 使
B. 把
C. 被
D. 将

68. 政府已经决定今年要对城区的危旧住
房_____。
A. 进行改造
B. 进行改造改造
C. 进行改造一改造
D. 进行改造一下

69. 我并没有生气,只是心里_____罢
了。
A. 一点儿不舒服
B. 不舒服一点儿
C. 有点儿不舒服
D. 不舒服有点儿

70. _____遇到多么大的困难,这个试验
也要做下去。
A. 即使
B. 不论
C. 由于
D. 虽然

71. 今天雾太大,站在香山上,_____颐
和园的昆明湖。
A. 看不见
B. 不看见

C. 看得不见
D. 不看得见

72. 在和他交往的过程_____,我慢慢理
解了他的想法。
A. 上
B. 中
C. 里
D. 下

73. 改革中会遇到许多困难,但是_____
我们一起努力,_____一定能够找到
解决问题的办法。
A. 无论……也
B. 即使……也
C. 只有……才
D. 只要……就

74. _____穿上以后,人显得很精神。
A. 她那件高领的黄毛衣
B. 那件她高领的黄毛衣
C. 她那件高领黄的毛衣
D. 她高领的那件黄毛衣

75. 我_____没想到,你是这么自私的一
个人。
A. 万分
B. 万一
C. 千万
D. 万万

76. 麻烦您,等安娜回来,_____,好吗?
A. 让您请她给我回电话
B. 请您给她让我回电话
C. 让您请她回电话给我
D. 请您让她给我回电话

77. 看样子,他俩差不多,其实小王比小李
_____。

A. 大得三岁
B. 三岁大
C. 大三岁
D. 三岁大了

A. 方
B. 地
C. 面
D. 向

78. 众所周知,水是_____氢和氧化合而成的。
A. 把
B. 由
C. 经
D. 于

80. 我_____一晚上不睡觉,_____要写完这篇文章。
A. 宁愿……也……
B. 不是……就是……
C. 虽然……但是……
D. 无论……都……

79. 结婚的那天早晨,客人们从四_____八方赶来参加他们的婚礼。

# 三、阅读理解

(50 题,60 分钟)

## 第一部分

说明:81~100 题,每个句子中都有一个划线的词语,ABCD 四个答案是对这一划线的词语的不同解释,请选择最接近该词语的一种解释(在答卷上的字母上画一横道)。

81. 既然你们<u>个个</u>都想去,那我也没有什么意见。
    A. 两人
    B. 少数人
    C. 多数人
    D. 每一个人

82. 你任务布置得不够<u>具体</u>,所以才出现了现在的问题。
    A. 全面
    B. 详细
    C. 合理
    D. 准时

83. 我<u>打</u>心眼里感谢这位把我引上音乐之路的老师。
    A. 非常
    B. 打算
    C. 从
    D. 向

84. 夫妻生活在一起,偶尔争吵两句是<u>难免</u>的。
    A. 很不应该
    B. 不能避免
    C. 可以避免
    D. 十分危险

85. 我<u>好容易</u>才听明白她的意思。
    A. 很清楚
    B. 很容易
    C. 费很大力气
    D. 幸亏

86. 王老师今天要<u>出院</u>,我们给她买了一束鲜花。
    A. 离开家
    B. 出国
    C. 离开学院
    D. 离开医院

23

87. 这些花是不是奇花异草他<u>不在乎</u>,只要开花,他就高兴。
    A. 不理解
    B. 不知道
    C. 无所谓
    D. 无经验

88. 要不是"文化大革命"结束,父亲就得<u>背一辈子的黑锅</u>。
    A. 做一辈子的饭
    B. 受一辈子的冤枉
    C. 承担很重的负担
    D. 受一辈子的罪

89. 他现在非常<u>刻苦</u>,和以前可大不一样了。
    A. 努力
    B. 困难
    C. 劳累
    D. 忙碌

90. 老高这个人什么都好,就是办事不太<u>干脆</u>。
    A. 耐心
    B. 诚实
    C. 果断
    D. 确实

91. 是不是在你快离开这个城市的时候,才想起它的<u>好处</u>来了?
    A. 优点
    B. 风景名胜
    C. 新的发展
    D. 方便的交通

92. 我早就告诉过你,你的<u>看法</u>有问题。
    A. 观点
    B. 视力
    C. 眼睛

D. 方法

93. 看到父亲态度那么坚决,他<u>无可奈何</u>地朝我笑了笑。
    A. 没有问题
    B. 没有意见
    C. 没有办法
    D. 没有结果

94. 回国以后你<u>千万</u>给我来个电话。
    A. 很快
    B. 一定
    C. 常常
    D. 很多

95. 无论大家怎么说,他们都不<u>肯</u>取消去桂林旅行的计划。
    A. 愿意
    B. 能够
    C. 打算
    D. 应该

96. 他的科技人员下乡帮助农民科学致富的倡议得到了许多人的<u>响应</u>。
    A. 帮助
    B. 启发
    C. 支持
    D. 表扬

97. 许多地方的教育状况比我们想像的还要<u>差</u>。
    A. 不好
    B. 不一样
    C. 先进
    D. 不平衡

98. 我可没有<u>工夫</u>给你解释。
    A. 责任
    B. 时间

C. 能力

D. 努力

99. 挑来挑去,他终于找到了一个满意的对
象。

A. 目标

B. 恋人

C. 对方

D. 伙伴

100. 我们已经注意到了用公车办私事并不
是个别现象。

A. 个人

B. 别人

C. 少数

D. 一个

# 第二部分

说明:101~130题,每段文字后都有若干个问题,每个问题都有ABCD四个答案,请快速阅读
并根据它的内容选择惟一恰当的答案(在答卷上的字母上画一横道)。

101~103

房间里的东西太多、太乱,会使人感到
压抑、不舒畅,就要清理,该搬的搬,该扔的
扔。人的心房又何尝不是如此?如果总有一
些小事把心房塞得满满的,比如与同事发生
了矛盾、受到了领导的批评、奖金分配不公
……等等,我们怎么能活得轻松舒畅呢?

生活中有所不为才能有所作为,不会忘
记也就不能记住。生活需要记忆,但生活也
需要忘记。不会忘记,被名利缠身,为是非所
累,被琐屑所困,就等于背上了深重的包袱,
就会活得很苦很累。而我们每一个人的心房
里每天总要添置新东西,心房太拥挤,新东
西又往哪里搁放?

101. 第一段使用的说理方法是?

A. 打比方

B. 比较

C. 举例

D. 讲道理

102. 人们活得不轻松是因为:

A. 人际关系处理不好

B. 受了上级的批评

C. 收入没有提高

D. 不知如何保持心理健康

103. 这段话的用意是告诉人们:

A. 怎样提高记忆力

B. 要及时自我调整

C. 要搞好人际关系

D. 要注意清扫房间

104~105

有些年轻父母,急于为出生不久的婴儿
拍照。但专家研究发现,过早用强烈的闪光
灯给婴儿拍照,会对孩子的眼睛产生伤害,

特别是在一米范围内更为严重。许多眼科专家认为，眼球里的视网膜是对光反应最敏感的部位，即使像闪光灯这么迅速的一闪，也是经受不了的。一般说来，婴儿最少要到几个月后，才可以经受闪光灯一类的强光照射，因为视网膜需要一定时间才能具有抗强光的能力。

104. 这篇文章可能选自哪个方面的刊物？
    A. 摄影艺术
    B. 照相机
    C. 光学
    D. 大众医学

105. 作者建议：
    A. 给新生婴儿拍照最好在一米之外
    B. 给新生婴儿拍照最好使用闪光灯
    C. 研究拍照时婴儿的反应
    D. 不要过早给婴儿拍照

106～108

本书以新资料、新观点全面系统地介绍了世界经济发展史。书中以新的历史分期方法，将远古到20世纪末的世界经济史划分为10个历史阶段，每一阶段为一分册，详尽地介绍了各个历史时期人类经济活动中的重大事件、重要人物及其思想，以及各种重要的经济制度等等。本书一反国内世界史将中国排除在外的传统写法，将中国史还原于世界史之中，专章介绍了中国经济发展史的情况，并采用对比方法，对东西方经济发展的不同特点、规律及各种成就等等进行了客观的对比和评价。

106. 这本书是以什么为主要线索来写的？
    A. 时间
    B. 国家
    C. 人物

D. 事件

107. 该书共几分册？
    A. 10分册
    B. 11分册
    C. 20分册
    D. 文中没有说明

108. 下面哪个不是该书的特点？
    A. 有新资料新观点
    B. 内容详尽全面
    C. 有一册专门介绍中国经济史
    D. 进行了东西方比较

109～112

看电视仍然是北京市居民的主要闲暇活动，每天平均看电视时间为1小时39分钟，与1986年的1小时19分相比，增加了20分钟。其中男性1996年为1小时44分钟，比1986年的1小时28分增加16分钟，女性1996年为1小时35分，比1986年的1小时8分增加27分钟。看电视时间与年龄有很密切的关系，看电视时间按年龄组分，呈U字形，即20岁以下者为3小时17分，60岁以上者为2小时11分，20岁至50岁为最低。休息日和工作日看电视的时间差异也很大，在工作日里平均每日看电视的时间为1小时26分，而在休息日则为2小时12分，特别是男性在休息日看电视的时间长达2小时21分。

109. 这段文字可能选自：
    A. 一篇论文
    B. 一次演讲
    C. 一篇评论
    D. 一项调查

110. 根据这段文字，下面哪句话是错误的？
    A. 男性看电视的时间多于女性

B. 女性看电视的时间比男性增加得少

C. 现在人们看电视的时间比以前长了

D. 北京人业余时间的主要活动是看电视

111. 哪种人看电视的时间最长？
    A. 青少年
    B. 青壮年
    C. 中年人
    D. 老年人

112. 这段文字没有提到哪种影响看电视时间的因素？
    A. 性别
    B. 职业
    C. 年龄
    D. 工作与否

113～116

昨天上午 8 点至 10 点 20 分，一分时段一寸金的中央电视台破天荒地用 140 分钟的时间，对日食和海尔-波普彗星同时出现的天文奇观作了大型现场直播。从表面上看，这次前所未有的报道活动，仅仅是为了满足不能亲临漠河等观测现场的天文爱好者的需求，但凡是观看了这次直播节目的观众都能感觉到，自己事实上受到了一次天文基础知识的普及教育。

千百年来，自然现象和四时万物的变化，曾经激发了一代代人探索科学的热情，也引起了不少人出于本能的敬畏与恐惧，科学与迷信就在这里产生，又在这里分野。今天，现代科学技术飞速发展，对以往被视为"福"或"灾"的日食、彗星等天文现象的预测，已经精确到了以分秒计的程度，科学的力量决定性地战胜了迷信。人们对自己生存的自然环境的持久热情，正是科学研究不断

向前发展的动力所在，也是我们这个时代一步步走向明晰、成熟和繁荣的希望所在。

113. 这里"破天荒"的意思可能是：
    A. 花很多钱
    B. 第一次
    C. 大规模
    D. 天文现象

114. 作者认为，中央电视台的大型现场直播
    A. 虽然时间不长，但意义重大
    B. 没有身临其境的现场感
    C. 达到了多种目的
    D. 只满足了天文爱好者的需求

115. 对于自然现象，前人
    A. 没有任何热情
    B. 有两种态度
    C. 只感到十分害怕
    D. 认为是产生迷信的原因

116. 作者的态度是：
    A. 担忧的
    B. 充满信心的
    C. 不满的
    D. 惊奇的

117～118

由中国国际广播电台和陕西省联合主办的"向世界介绍陕西系列广播知识竞赛"在世界许多国家听众中引起反响。这次"知识竞赛"使用 43 种语言播出，累计播出 400 小时，吸引了 155 个国家近 30 万听众。欧美国家听众大量参赛是此次活动的一个显著特点。在英语国家听众中，美、英、加、澳等国听众占了大多数，且层次较高。大量答卷不仅准确率高，而且图文并茂。西班牙听众帕安·何塞获特等奖并应邀来华，市长亲自为

他送行。

117. 这次活动的主要目的是什么？
    A. 让人们了解陕西
    B. 调查听众情况
    C. 帮听众提高汉语水平
    D. 选拔来中国旅行的听众

118. 欧美国家听众的特点不包括：
    A. 参加人数很多
    B. 英语国家听众占大多数
    C. 答卷成绩好
    D. 有的答卷还配有插图

119～124

　　某剧团因为管理不善，长期亏损。剧团团长正不知如何是好，有人出了个主意："你们不妨登一则招收新演员的启事。"团长恼火地说："工资都快发不出了，还招什么新演员？"那人凑到团长耳边，低语几句，团长听后，微微点头，半信半疑。

　　两天后，团部门口果真贴出"招聘启事"："本团需要男女演员若干名，凡爱好文艺、有一定表演基础的青年，均可报考。报名费每人五十元，初试合格者，进入复试，复试费每人八十元；复试合格者，进入总复试，总复试费每人一百元。"启事贴出不到半天，报名者就排起了长龙。

　　忙了近三个月，考试才有了结果：初试是这些人，复试还是这些人，总复试同样也是这些人。这些应试者还以为，多一次考试，就会多一次成功的机会。团里的演职员疑惑不解，问团长究竟准备录取多少新演员。团长笑嘻嘻地答非所问："这些报名费，我算过了，足够我们剧团维持到年底。你们向考生解释清楚：他们都有一定的表演才华，这次考不上千万别灰心，欢迎明年春天再来报考。"

119. 剧团目前的主要问题是什么？
    A. 没有好剧本
    B. 人员太多
    C. 资金缺乏
    D. 年轻演员太少

120. 根据招聘启事，
    A. 这个剧团要招很多演员
    B. 报考的条件比较容易达到
    C. 每个报名者都将参加三次考试
    D. 录取后将会有很高的收入

121. 剧团为什么要进行多次考试？
    A. 因为报考的人很多
    B. 为了多收报名费
    C. 因为考试很严格
    D. 为了给考生更多机会

122. 在进行第三次考试时，
    A. 一个人都没有了
    B. 只剩下了很少的人
    C. 人数和前两次一样多
    D. 比前两次的人还要多

123. 考试最后的结果很可能是什么？
    A. 一个人都不录取
    B. 录取几个人
    C. 录取很多人
    D. 宣布这次考试作废

124. 考试结束，团长为什么很高兴？
    A. 因为剧团现在的经济情况好了
    B. 因为报名的人大都很有表演才华
    C. 因为录取到了很有才华的演员
    D. 因为新演员年底就可以参加演出

125～130

我们常在侦探小说中看到这样的情节：

盗贼潜入民宅窃走巨款,侦察人员根据罪犯留下的指纹,轻松地将罪犯抓获。然而事实上,在指纹电子技术出现之前,利用指纹破获的案件微乎其微。

这其中的原因很简单。虽然每个人的指纹都不同,而且不会变化,是最准确的"个人身份证"。但一个人的指纹有一百多个特征点,再加上现代社会流动作案增多,靠人工一个一个地去比对,在数十万甚至上百万人中想找出相同的指纹,将需要巨大的人力与很长的时间。在中国,在电子指纹技术被应用到公安领域之前,在侦破的所有案件中,借助指纹的不足1%。

计算机技术的出现为指纹的广泛应用提供了有利的条件。首先我们可以根据指纹的个人特征,利用计算机建立一个庞大的"指纹库",一旦在案件发生现场得到了作案者的指纹,只要提取该指纹,通过计算机进行比对就可以了,既省时又省力。

指纹电子技术不仅可以应用在公安领域,在其他民用行业也有着广泛的应用前景,如银行、保险、海关等行业中的身份鉴定,血站对有传染病史人员的身份识别等等。我们甚至还可以将指纹存在信用卡等证件上,制作无法假冒的证件以及研制指纹锁等。

125. 根据本文,在侦探小说中利用指纹侦破案件:
　　A. 很可笑
　　B. 不常见
　　C. 很容易
　　D. 很不可能

126. 在指纹电子技术出现之前,利用指纹破案:
　　A. 只在小说中才能见到
　　B. 很常见
　　C. 很准确
　　D. 非常少

127. 计算机比对指纹需要借助:
　　A. 人工比对
　　B. 指纹锁
　　C. 指纹库
　　D. 作案者的帮助

128. 下面哪个可能是"指纹库"的意思?
　　A. 大量的指纹档案
　　B. 指纹研究机构
　　C. 指纹比对方法
　　D. 描写利用指纹侦破案件的各种小说

129. 下面哪个不是应用电子指纹技术的原因?
　　A. 现代社会犯罪常具有流动性
　　B. 通过人工比对指纹辨别身份太麻烦
　　C. 人的指纹的特征点非常多
　　D. 指纹电子技术处理的指纹质量好

130. 目前指纹电子技术应用最多的领域或行业是:
　　A. 公安
　　B. 银行
　　C. 保险
　　D. 海关

4 · 4 · 4 · 4 · 4

# 四、综合填空

(40题,30分钟)

## 第一部分

说明:131～154题,每段文字中都有若干个空儿(空儿中标有题目序号),每个空儿右边都有
ABCD四个词语,请根据上下文的意思选择惟一恰当的词语(在答卷上的字母上画一
横道)。

**131～134**

心理<u>131</u>家提醒家长们,辅导孩
子学习时,首先要调整好<u>132</u>的情绪,
<u>133</u>要和蔼,不要迫使孩子一心二用,
辅导孩子学习<u>134</u>是一门学问。

131. A. 的　　B. 学　　C. 人　　D. 者

132. A. 别人　B. 彼此　C. 自己　D. 他们

133. A. 态度　B. 性格　C. 脸面　D. 脾气

134. A. 就　　B. 正　　C. 也　　D. 还

**135～138**

今年 75 岁的林辰夫过去经常看
<u>135</u>,是医院的常客,每月光药费<u>136</u>
也得 300 元,可是自去年初到现在他
一共才报了 300 元的药费,而且体质
也明显<u>137</u>了。他说,这是老年人自我
保健活动,让他<u>138</u>拥有了第二个春
天。

135. A. 身体　B. 健康　C. 病　　D. 医生

136. A. 很少　B. 起码　C. 最多　D. 不过

137. A. 提高　B. 增加　C. 增强　D. 上升

138. A. 重　　B. 又　　C. 再　　D. 还

**139～143**

现在的父母为了让孩子多<u>139</u>些
见识,便常带他们出门旅游。为让孩子
多学门技艺,琴棋书画,只要孩子<u>140</u>
学,无论学费多贵,作父母<u>141</u>都心甘
情愿。这对多子女的父母<u>142</u>是不可

139. A. 学　　B. 长　　C. 看　　D. 加

140. A. 肯　　B. 求　　C. 会　　D. 可

141. A. 人　　B. 的　　C. 了　　D. 谁

142. A. 害怕　B. 哪怕　C. 可怕　D. 恐怕

想像的,既没这个精力,经济上<u>143</u>不行。

143. A. 却　　B. 和　　C. 并　　D. 也

**144~146**

一台<u>144</u>精心筹划并在首演时<u>145</u>轰动的大型魔术专场晚会,将于6月6日起在长安大戏院隆重登场。届时,将为广大观众奉献一台既<u>146</u>了东方传统魔术特色,又汲取了西方现代魔术精华的大型魔术晚会。

144. A. 经过　B. 有着　C. 经历　D. 按照
145. A. 受到　B. 造成　C. 形成　D. 引起
146. A. 保护　B. 保留　C. 存在　D. 遗传

**147~154**

<u>147</u>以为大学教授来给我们上课,一定会特别<u>148</u>。<u>149</u>李老师一来就说<u>150</u>和我们交朋友,他的课也上<u>151</u>生动活泼,课堂<u>152</u>十分活跃,同学们普遍反映很好,而且他还让我们不要养成一有难题就找老师的习惯,<u>153</u>要展开讨论,在讨论<u>154</u>找出解答问题的最佳途径。

147. A. 从来　B. 本来　C. 近来　D. 未来
148. A. 严重　B. 严禁　C. 严肃　D. 严密
149. A. 可　　B. 却　　C. 倒　　D. 竟
150. A. 会　　B. 能　　C. 要　　D. 该
151. A. 的　　B. 地　　C. 得　　D. 了
152. A. 气氛　B. 环境　C. 空气　D. 性格
153. A. 只　　B. 就　　C. 而　　D. 反
154. A. 上　　B. 中　　C. 下　　D. 里

# 第二部分

说明：155～170题，每段话中都有若干个空儿（空儿中标有题目序号），请根据上下文的意思在答卷上的每一个空格中填写一个恰当的汉字。

155～158

　　为改变敬老院的落 155 面貌，政府决 156 下大力气进行改造。在各部门的大力支 157 下，筹措了 150 万元资金，对原敬老院进行了彻底翻新扩建。如 158 这座占地 200 多平方米、具有北京特色的仿古平房式敬老院已落成并开始接待老人。

159～162

　　男，36 岁，回 159，身高 1.81 米，高中，未 160，某事业单位行政人员。欲觅性情温和、条 161 相当、能尊 162 本民族习惯的北京籍女子为伴。来信寄本市《人生》杂志社王明处。

163～164

　　经授权的卫生检查员，可责令违反公共交通工具吸烟规定 163 停止吸烟，并处以 10 元罚 164。

165～170

　　您注意到孩子的情 165 变化，说明您还不十分糊涂。但您偷看孩子的通信，却是做了一件糊涂的事。站在孩子的角 166 想一想，他刚刚在感情上受挫折，现在自己的"秘 167"又被父母发现了，他会有什么样的心理感受？他还会再信 168 您吗？您很为他担心着急，想给他一些帮助，但您的关心和帮助恐怕很难见 169，说不定还会引起他强 170 的反感。

# 第一套试题听力理解文本

## 第一部分

1. 这个商店以前卖电器,现在只卖服装、食品还有日用品什么的。
   问:这个商店现在不卖什么?
   C

2. 今年天气不正常,夏天不下雨,冬天倒老下雪。
   问:下面哪种说法正确?
   A

3. 六点一刻的电影票已经卖完了,我们只好看两个半小时以后的夜场了。
   问:他们可以看什么时候的电影?
   A

4. 各位听众,现在是"生活之友"节目时间,今天我想和大家谈一谈冬天怎么预防感冒、苹果怎么过冬,最后还要给大家介绍一种新型筷子。
   问:说话人是干什么的?
   B

5. 李明,你看都什么时候了,你怎么现在才来?
   问:说话人是什么意思?
   A

6. 国庆节那天,工芳和哥哥陪着妈妈的老朋友去了趟天安门。
   问:谁没有去天安门?
   C

7. 要是我早来五分钟,就见到齐华珍了。
   问:他见到齐华珍了吗?
   B

8. 我看这几种牛奶的质量差不多,哪种便宜就买哪种吧。
   问:这句话是什么意思?
   C

9. 真没见过这样的中文老师,上课的时候老是在说英文。

问:这句话告诉我们什么?

B

10. 小王,这是我的地址,你什么时候从北京到西安,一定要去我们家呀!

问:这句话是什么意思?

A

11. 连我都能学会用电脑,更不用说你这个大学毕业生了。

问:这句话告诉我们什么?

B

12. 每天挤车上下班、接孩子、做饭,连喘口气的工夫都没有,睡午觉都成问题。

问:这句话告诉我们什么?

A

13. 据说北京有几千条胡同,但没几条能看出原来的样子了。

问:这句话是什么意思?

C

14. 路不是已经问清楚了吗?太阳一出来就热了,咱们说走就走。

问:这句话是什么意思?

C

15. 他要告就让他告去吧,随他的便。

问:说话人是什么口气?

D

## 第二部分

16. 女:对不起,刚才我和朋友光顾说话了,没看见红灯。

男:街上车这么多,可不是闹着玩的,下次注意。

问:男的可能是干什么的?

B

17. 女:请问,你们这儿车在几层?

男:什么车?摩托车在一层,玩具车在五层,自行车在地下。

问:对话发生在什么地方?

　　　　　D

18. 女:你快点行不行? 电影八点钟开演。
　　　男:还有半个小时呢,我们坐出租汽车十五分钟就到了。
　　　问:从对话中我们可以知道什么?
　　　　　D

19. 女:小王没完没了地说了一个晚上。
　　　男:终于走了。
　　　问:从对话中我们可以知道什么?
　　　　　D

20. 女:上个月我在上海遇见小马,几乎没认出他来。
　　　男:是啊,他变化太大了。
　　　问:从对话中我们可以知道什么?
　　　　　D

21. 女:张远举行婚礼,亲朋好友请了五百多。
　　　男:这算什么? 到时候看咱们的。
　　　问:男的是什么意思?
　　　　　C

22. 女:听说昨天晚上的演唱会去的歌迷特别多,你去了吗?
　　　男:怎么没去? 没劲透了!
　　　问:从对话中我们可以知道什么?
　　　　　A

23. 女:在法国呆了一年,你姐姐的法语水平真是提高了不少。
　　　男:没错儿。
　　　问:男的是什么意思?
　　　　　C

24. 女:你知道吗,你以前的学生玛丽和张华结婚了。
　　　男:我早就知道他俩在谈恋爱。
　　　问:男的是什么口气?
　　　　　C

25. 女:你看我,真是马大哈,上个月刚配的,今天又丢了。
　　　男:你呀,赶紧再配一把吧,要不挺不方便的。

问:两个人在谈论什么?

B

26. 女:听说昨天你进城去买衣服了,怎么样啊?

男:白跑了一趟,锻炼了一下身体。

问:男的是什么意思?

A

27. 女:你说在中国旅行得花多长时间?

男:那要看你都去些什么地方。

问:男的是什么意思?

D

28. 女:我希望郑建国今天晚上能参加我们的聚会。

男:我没告诉你吗?他刚才给你打电话来,说他妹妹明天结婚,下次聚会他一定参加。

问:关于郑建国我们可以知道什么?

B

29. 女:明天去城里看姑妈吗?

男:明天不去哪天去?

问:男的话是什么意思?

A

30. 女:请问,您知道张大夫家在几层吗?

男:对不起,我对这儿也不熟。

问:男的是什么意思?

C

31. 女:你看见冬冬了吗?刚才我还见他在湖边的草地上玩呢,怎么一转眼就不见了?

男:可能回家了吧。半个小时以前,我看见他骑着他的小自行车往家里去了。

问:男的觉得冬冬去哪儿了?

A

32. 女:这车骑着老响,后闸也有点儿不灵。

男:可能该上油了。您搁这儿吧,下午三点以后来取。

问:女的正在和什么人谈话?

D

33. 女:听说这是陈一波第二次办个人展,你看,他的书法真不错。

男：那你还没看他的国画呢，就在旁边那个展室。

问：对话可能发生在什么地方？

B


34. 女：恐怕咱们四个小时才能到。

男：从这儿爬到山顶怎么也得四个小时。

问：男的是什么意思？

C


35. 男：昨天是大减价的最后一天。

女：我出门的时候本该多带些钱的。

问：女的是什么口气？

D


## 第三部分


36到37题是根据下面一段话：

女：小任，你帮我把这本书里的照片内容核对一下。

男：好吧。第7页的照片是关于情绪健康的，第25页是关于饮食的，35页……

女：哦，我忘了，35页的不要了。

男：好，40页是关于饮酒的危害，42页是吸烟的危害。

36. 男的共核对了几页照片？

　　B

37. 两人谈的书可能是关于哪个方面的？

　　D


38到40题是根据下面一段话：

　　据中国民航总局提供的消息，中国南方航空公司深圳公司一架波音737飞机在昨天执行重庆—深圳CZ3456号航班任务，晚上9点30分在深圳机场降落时发生事故，造成人员伤亡。据悉，这架飞机上共有73人，其中旅客65人，机组人员8人。飞机失事后，有35人遇难，其中旅客33人，机组人员2人，另有3人重伤，其余人员轻伤。经现场救援，目前大部分伤员情况稳定。深圳机场已于今天上午9时15分恢复开放。

38. 这次事故发生在什么时候？

　　B

39. 事故发生多长时间以后，机场重新开放？

　　A

40. 有多少人员死亡？

　　C

41 到 42 题是根据下面一段话：

女：老伯，你们这儿真美呀！可是为什么没有人来呢？

男：没有人知道呗。

女：那为什么不宣传宣传，做做广告？人们一知道，不就来了？

男：做广告不要钱？再说，为什么非要人来这儿旅游？干干净净的地方，人一多，又脏、又乱、又吵。

女：可人一多，这儿就可以富起来了呀。

男：要那么多钱干什么？我看钱太多不是好事。

41. 从对话里我们可以知道什么？

    B

42. 男的对女的的建议是什么态度？

    B


43 到 45 题是根据下面一段话：

    近年来，随着中国经济的高速发展，电脑越来越成为人们关注的热点，购买电脑的家庭也越来越多。但是最近的一次调查表明，电脑在中国的普及程度还很低，85.7%的被采访者表示，他们在工作中从来没有使用过电脑；只有10%多一点儿的人表示，他们在工作中经常或偶尔使用电脑。进一步的分析发现，电脑的使用率与被调查者的年龄、受教育程度以及职业有一定的关系。另外，对家庭购买电脑的意向的调查发现，45.3%的家庭是为了供孩子学习购买电脑的，21.4%的人则是为了提高自身素质购买电脑，除此之外，17%的人买电脑用于娱乐，只有16.4%的人买电脑是出于工作和业务的需要。


43. 这段话谈论的是什么问题？

    C

44. 在和电脑使用率相关的因素中，在这段话中没有谈到哪种因素？

    B

45. 根据这段话，家庭购买电脑哪种意向的比例最低？

    B


46 到 47 题是根据下面一段话：

女：昨天的女子足球赛你看了吗？

男：看了，广东又赢了。真奇怪，水平不怎么样，老赢，居然把山东队踢输了。

女：真的，论技术它不见得比北京、山东、辽宁队强，就是运气好。

男：也不完全是运气，这个队情绪稳定。上边几个队强吧？不怕！不像别的队一会儿这样一会那样。

女：那今天它对河北队，你看吗？

男：前面的都看了，这场就算了吧。

46. 广东队刚战胜哪个队？

D

47. 关于广东队取胜的原因,两人看法怎样?

C

48 到 50 题是根据下面一段话:

除中国人喜欢饮茶之外,世界上还有不少民族也有饮茶的习惯,但各有特色:美国的速溶茶是把茶叶加工成粉末状,然后再掺进白糖和柠檬汁制成的,加开水即可饮用,可节约泡茶的时间。许多美国人好喝速溶茶,大概和他们的生活节奏快有关。英国人特别注重下午四点半以后的一次下午茶,哪怕是正在办公或开会,也得停下来喝。由于气候炎热,泰国人喜欢在茶里放些小冰块,饮这种茶使人感到凉爽舒适。北非人则喜欢在绿茶里加入几片新鲜的薄荷叶和一些冰糖,饮时清凉爽口。

48. 这段话介绍了几个国家、地区的饮茶习惯?

B

49. 哪个国家、地区的饮茶习惯和生活节奏有关?

A

50. 哪个国家、地区喝茶时放冰块?

C

# 第一套标准答案

## 一、听力理解

### 第一部分

1. C   2. A   3. A   4. B   5. A   6. C   7. B   8. C   9. B   10. A   11. B   12. A   13. C   14. C
15. D

### 第二部分

16. B   17. D   18. D   19. D   20. D   21. C   22. A   23. C   24. C   25. B   26. A   27. D
28. B   29. A   30. C   31. A   32. D   33. B   34. C   35. D

### 第三部分

36. B   37. D   38. B   39. A   40. C   41. B   42. B   43. C   44. B   45. B   46. D   47. C   48. B
49. A   50. C

## 二、语法结构

### 第一部分

51. B   52. B   53. D   54. C   55. C   56. C   57. B   58. D   59. B   60. C

### 第二部分

61. D   62. C   63. B   64. B   65. C   66. B   67. A   68. A   69. C   70. B   71. A   72. B
73. D   74. A   75. D   76. D   77. C   78. B   79. C   80. A

## 三、阅读理解

### 第一部分

81. D  82. B  83. C  84. B  85. C  86. D  87. C  88. B  89. A  90. C  91. A  92. A
93. C  94. B  95. A  96. C  97. A  98. B  99. B  100. C

**第二部分**

101. A  102. D  103. B  104. D  105. D  106. A  107. A  108. C  109. D  110. B  111. A
112. B  113. B  114. C  115. B  116. B  117. A  118. B  119. C  120. B  121. B  122. C
123. A  124. A  125. C  126. D  127. C  128. A  129. D  130. A

# 四、综合填空

## 第一部分

131. B  132. C  133. A  134. C  135. C  136. B  137. C  138. B  139. B  140. A  141. B
142. D  143. D  144. A  145. D  146. B  147. B  148. C  149. A  150. C  151. C  152. A
153. C  154. B

## 第二部分

155. 后  156. 定  157. 持  158. 今  159. 族  160. 婚  161. 件  162. 重  163. 者
164. 款  165. 绪  166. 度  167. 密  168. 任  169. 效  170. 烈

# 模拟试卷(二)

# 一、听力理解

(50题,约35分钟)

## 第一部分

说明:1~15题,这部分试题,都是一个人说一句话,第二个人根据这句话提一个问题,请你在
四个书面答案中选择惟一恰当的答案。

例如:第8题,你听到:

第一个人说:……

第二个人问:……

你在试卷上看到四个答案:

A. 七点十分　　B. 七点　　C. 十点七分　　D. 六点五十

第8题惟一恰当的答案是D,你应在答卷上找到号码8,在字母D上画一横道。横道一
定要画得粗一些,重一些。

8. [A] [B] [C] [D]

1. A. 老张
   B. 老方
   C. 老王
   D. 老杨

    C. 张华现在还很胖
    D. 张华有病,每天的睡觉时间很长

2. A. 老万一年来变化不大
   B. 老万一年没见别人
   C. 老万一年来变化很大
   D. 老万一年见不到别人

4. A. 因为小王提醒我,我今天会了
   B. 我不知道今天开会
   C. 小王忘了叫醒我
   D. 小王提醒我今天有会

3. A. 张华很喜欢喝茶
   B. 张华有许多坏习惯

5. A. 上午
   B. 上、下午
   C. 下午
   D. 下午及晚上

6. A. 李晓丽不喜欢说话
   B. 说话人很生李晓丽的气
   C. 李晓丽做得不对
   D. 说话人对李晓丽很不满意

7. A. 很热
   B. 有大风
   C. 天气很好
   D. 没有太阳

8. A. 很方便
   B. 很准时
   C. 不方便
   D. 比较多

9. A. 除了李宏,我们都很累
   B. 李宏比我们还累
   C. 李宏跟我们一样累
   D. 李宏没有我们累

10. A. 7：30
    B. 7：45
    C. 8：00
    D. 8：15

11. A. 担心
    B. 怀疑
    C. 不耐烦
    D. 推测

12. A. 晚上要开汽车出去
    B. 晚上要赶末班车
    C. 要熬夜
    D. 要值夜班

13. A. 没有参加英文考试
    B. 打球受伤了
    C. 闹钟坏了
    D. 考试不及格

14. A. 坚决命令
    B. 勉强接受
    C. 十分赞同
    D. 犹豫不决

15. A. 教室里
    B. 汽车上
    C. 工厂里
    D. 火车上

## 第二部分

说明：16~35题，这部分试题，都是两个人的简短对话，第三个人根据对话提出一个问题，请你在四个书面答案中选择惟一恰当的答案。例如：第22题，你听到：

22. 第一个人说：……

第二个人说：……

第三个人问：……

你在试卷上看到四个答案：

A. 睡觉　B. 学习　C. 看病　D. 吃饭

第22题惟一恰当的答案是C，你应在答卷上找到号码22，在字母C上画一横道。横道一定要画得粗一些，重一些。

22. [A]　[B]　[C]　[D]

16. A. 学生
    B. 警察
    C. 医生
    D. 老师

17. A. 医院
    B. 电影院
    C. 商店
    D. 饭馆儿

18. A. 女的很着急
    B. 男的并不觉得奇怪
    C. 女的已经等了半个小时了
    D. 男的觉得三点钟开会很好

19. A. 3.00元
    B. 2.00元
    C. 1.70元
    D. 3.40元

20. A. 赵先生不到30岁
    B. 赵先生看起来比30岁大

C. 赵先生看起来比30岁小
D. 赵先生30多岁了

21. A. 她觉得照片很奇怪
    B. 她想看看男的的相机
    C. 她觉得自己拍得很好
    D. 她觉得相机有问题

22. A. 不要开我们的玩笑
    B. 你怎么知道的
    C. 我不会和她结婚
    D. 我很喜欢她

23. A. 女的说了很多
    B. 女的说得不对
    C. 女的只说不做
    D. 今年的任务恐怕完不成

24. A. 很有趣
    B. 太累了
    C. 很尽兴
    D. 很无聊

25. A. 爷爷觉得书太贵
    B. 爷爷觉得书不好
    C. 爷爷觉得书很难
    D. 爷爷觉得字太小

26. A. 李师傅很有经验
    B. 李师傅很年轻
    C. 李师傅说话声音很小
    D. 李师傅把机器弄坏了

27. A. 孩子们还要玩下去
    B. 孩子们现在还不能玩
    C. 孩子们急着要玩
    D. 男的很着急

28. A. 他知道小郑病了
    B. 他认为小郑没病
    C. 他问小郑得了什么病
    D. 他刚才在医院看见小郑了

29. A. 男的下个月要结婚
    B. 男的八月要结婚
    C. 男的九月要结婚
    D. 男的没有决定什么时候结婚

30. A. 女儿回来晚了,妈妈很着急
    B. 儿子回来晚了,妈妈很着急
    C. 弟弟回来晚了,姐姐很着急
    D. 弟弟没赶上车,很着急

31. A. 3 班的人都参加了晚会
    B. 李晓丽和王虹参加了晚会
    C. 李晓丽、王虹和 3 班的人一起参加
       了晚会
    D. 李晓丽和王虹没参加晚会

32. A. 8 岁了
    B. 20 岁了
    C. 30 多了
    D. 快 50 了

33. A. 经理和秘书
    B. 作者和编辑
    C. 教授和学生
    D. 房客和旅馆经理

34. A. 仓库里
    B. 大街上
    C. 办公室
    D. 汽车站

35. A. 激动
    B. 担心
    C. 难过
    D. 厌烦

## 第三部分

36. A. 了解图书馆的情况
    B. 借一本文学方面的书
    C. 打听开架阅览室在哪儿
    D. 查找理科方面的材料

37. A. 她要的书图书馆没有
    B. 她要的书只能在图书馆看
    C. 男的不了解图书馆的情况
    D. 她找错了借书的地方

38. A. 上二楼
    B. 下一楼
    C. 去找理科方面的书
    D. 去走廊的那头儿

39. A. 唐代
    B. 周代
    C. 秦代
    D. 汉代

40. A. 中国
    B. 日本
    C. 朝鲜
    D. 新加坡

41. A. 方便
    B. 安全
    C. 干净
    D. 对身体有好处

42. A. 刚刚认识
    B. 很久没见面了
    C. 以前是同事
    D. 不久前见过面

43. A. 南京
    B. 上海
    C. 广州
    D. 瑞士

44. A. 她明天要去办手续
    B. 她明天要回上海
    C. 她明天要去找田成
    D. 她明天就要去瑞士了

45. A. 科研单位
    B. 理发店
    C. 在家里
    D. 轮船公司

46. A. 对自己的收入不满意
    B. 为了让太太满意
    C. 为了出国
    D. 为了清闲一些

47. A. 丈夫和她没有共同语言了
    B. 丈夫的收入没有提高
    C. 丈夫与她交流的时间太少了
    D. 丈夫常常不回家

48. A. 医院
    B. 眼镜店
    C. 体育馆
    D. 电影院

49. A. 练功夫的时候出了问题
    B. 没有买到电影票
    C. 丢了眼镜
    D. 眼睛受了伤

50. A. 练功夫的时候方便
    B. 对眼睛有好处
    C. 她在开玩笑
    D. 打架时很方便

# 二、语法结构

(30题,20分钟)

## 第一部分

说明:51～60题,在每一个句子下面都有一个指定词语,句中ABCD是供选择的四个不同位置,请判断这一词语放在句子中哪个位置上恰当。

例如:

55. 我们 A 一起 B 去上海 C 旅游 D 过。

　　　　　　没有

"没有"只有放在句中 A 的位置上,使全句变为"我们没有一起去上海旅游过",才合乎语法。所以第 55 题惟一恰当的答案是 A,你应在答卷上找到号码 55,在字母 A 上画一横道。横道一定要画得粗一些,重一些。

55. [A]　[B]　[C]　[D]

---

51. 她抬 A 头一看,只见学生们举 B 标语 C 走 D 过来。

　　　　　　着

52. 昨天王芳做 A 的小点心你吃 B 没有? 我觉得 C 很好吃 D。

　　　　　　了

53. 我们 A 要求对方 B 提供 C 更详细的资料,可是对方一直 D 没有回音。

　　　　　　再三

54. 他的话一 A 说完,B 大家 C 明白是 D 怎么回事了。

　　　　　　立刻

55. A 我的自行车坏了,你 B 让 C 张建江 D 我修一下好吗?

　　　　　　替

56. 真倒霉,我 A 又 B 被 C 那个卖水果的小贩 D 骗了。

　　　　　　给

57. A 你不要 B 粗心大意,C 计算错误,D 就会影响整个工程的建设。

　　　　　　万一

58. 昨天我一直复习到 A 很晚,B 两点以后 C 我 D 睡觉。

　　　　　　才

49

59. 只要试验能 A 成功,B 吃 C 多 D 苦也
　　是值得的。
　　　　　　　再

60. A 我们相信只要 B 大家重视起来,一定
　　C 会 D 上海的城市规划更为合理。
　　　　　　　使

# 第二部分

说明:61～80 题,每个句子中有一个或两个空儿,请在 ABCD 四个答案中选择惟一恰当的填
　　　上(在答卷上的字母上画一横道)。

例如:67. 我昨天买了一_____钢笔。

　　　　A. 件　B. 块　C. 支　D. 条

我们只能说:"我昨天买了一支钢笔",所以第 67 题惟一恰当的答案是 C,你应在答卷上
找到号码 67,在字母 C 上画一横道。横道一定要画得粗一些,重一些。

67. [A]　　[B]　[C]　[D]

61. 要学好一_____外语,非得下苦功
　　夫不可。
　　A. 门
　　B. 口
　　C. 个
　　D. 科

62. 那天早晨,大雪纷纷,路上行人很少,只
　　是_____有几个锻炼身体的人从
　　我身边跑过。
　　A. 顺便
　　B. 偶尔
　　C. 起码
　　D. 偶然

63. 他先给妻子留了张条子,_____才
　　去医院看老万。
　　A. 以后
　　B. 然后

C. 后来
D. 最后

64. 严肃音乐会的票难买,这_____反映出
　　人们的审美观正在发生变化,_____反
　　映出人们的生活水平正在逐步提高。
　　A. 虽然……但是……
　　B. 不仅……而且……
　　C. 即使……也……
　　D. 连……也……

65. _____这些请客送礼的人如果不
　　及时处理,就会助长这种不良风气。
　　A. 由于
　　B. 关于
　　C. 对于
　　D. 在于

66. 这件事情现在很不好办,搁上几天____

说吧。

A. 才

B. 再

C. 又

D. 还

67. 教练对正在练球的小队员们说:"坚持_____,中国足球的希望就在你们身上。"

A. 下去

B. 上来

C. 上去

D. 出来

68. 希望我们两国加强交流,_____扩大在各个领域的合作。

A. 而

B. 为

C. 以

D. 就

69. 吸烟_____损害自己的健康,_____影响家人的健康。

A. 既然……也

B. 既……也

C. 虽然……也

D. 尽管……也

70. 以前,我常去他们家,自从他去了美国,我再也没有去_____。

A. 了

B. 过

C. 着

D. 的

71. 现在_____跑来跑去了。

A. 我再也不会骑着一辆破自行车在京城

B. 在京城再也不会我骑着一辆破自行

车

C. 我骑着一辆破自行车再也不会在京城

D. 一辆破自行车在京城我再也不会骑着

72. 我觉得结婚后夫妻各自的隐私迟早要让_____知道。

A. 互相

B. 彼此

C. 双方

D. 对方

73. _____在这儿等两个小时,_____自己亲自去一趟看看。

A. 只有……才……

B. 不管……都……

C. 与其……不如……

D. 尽管……但是……

74. 昨天,_____。

A. 我写·封长信给朋友了

B. 我给朋友写了一封长信

C. 给我朋友写一封长信了

D. 给我朋友一封长信写了

75. 看他急着给自己辩解的样子,我们禁不住笑了_____。

A. 起来

B. 下来

C. 上来

D. 过来

76. 不知道为什么,我_____现代城市的娱乐方式总是不太感兴趣。

A. 被

B. 向

C. 对

D. 给

77. 这种发型今年_____过时了，我还是剪短算了。

A. 已经

B. 就要

C. 正在

D. 马上

78. 据说，有_____数量的恐龙是食草的，而不是食肉的。

A. 相当

B. 相对

C. 相反

D. 相互

79. 上午的考试只进行了_____，但看样子，学生们并不轻松。

A. 一个半小时

B. 一半个小时

C. 半一个小时

D. 一个小时半

80. 在婚姻介绍所工作这么多年，各式各_____的人我都见过。

A. 类

B. 样

C. 种

D. 别

# 三、阅读理解

(50 题,60 分钟)

## 第一部分

说明:81～100 题,每个句子中都有一个划线的词语,ABCD 四个答案是对这一划线的词语的不同解释,请选择最接近该词语的一种解释(在答卷上的字母上画一横道)。

81. 我们以前只见过一次面,这次碰见他,我想了<u>半天</u>,还是想不起他叫什么名字。

    A. 一个白天
    B. 一个晚上
    C. 很长时间
    D. 十二个小时

82. 我看,这种豪华轿车在这里<u>未必</u>会有销路。

    A. 一定
    B. 不一定
    C. 可能
    D. 必然

83. 关于这个问题,你们要好好<u>检讨检讨</u>。

    A. 讨论问题
    B. 反省错误
    C. 研究难题
    D. 商谈问题

84. 我因为经常和他们在一起,<u>居然</u>学会了几句西班牙语。

    A. 竟然
    B. 所以
    C. 仍然
    D. 果然

85. 请问,您<u>来</u>点儿什么?

    A. 去
    B. 拿
    C. 买
    D. 带

86. 你喜欢吃什么菜,今天我<u>请客</u>。

    A. 请客人
    B. 请客人回答
    C. 付钱
    D. 不客气

87. 我看火车<u>不见得</u>会准时到达。

    A. 一定不
    B. 不一定
    C. 一定会
    D. 说不定

53

88. 他现在怎么样,是不是还是那么**大手大脚**的?
    A. 随便花钱
    B. 做事很快
    C. 很不认真
    D. 十分忙碌

89. **创作**是一个痛苦的过程,同时也是一个快乐的过程。
    A. 发明
    B. 工作
    C. 学习
    D. 写作

90. 我觉得他其它方面都可以,就是**个子**不太理想。
    A. 性格
    B. 身高
    C. 体重
    D. 长相

91. 约翰和中国孩子谈话的时候,说一口**地道**的北京话。
    A. 纯正
    B. 流利
    C. 很慢
    D. 奇怪

92. 对生活中的问题他总是持**乐观**的态度。
    A. 快乐
    B. 积极
    C. 幸福
    D. 观望

93. 我的**嫂子**既善良又能干。
    A. 妈妈的妹妹
    B. 爸爸的妹妹
    C. 哥哥的太太
    D. 弟弟的太太

94. 这儿没有速度限制,开车真**痛快**。
    A. 尽兴
    B. 危险
    C. 很快
    D. 很累

95. 作为一个著名的教育家,孔子**主张**把教育作为推行政策的重要手段。
    A. 要求
    B. 规定
    C. 提倡
    D. 主要

96. 我敢说,这两个月宋达肯定在家里**突击**外语呢。
    A. 重新学习
    B. 集中力量迅速提高
    C. 突然开始学习
    D. 补没有上的课

97. 有人认为,看一种理论是否正确,最好的办法是去**实践**。
    A. 实际
    B. 实行
    C. 检查
    D. 思考

98. 让她去解决这个问题我看不太**保险**。
    A. 可靠
    B. 安全
    C. 危险
    D. 秘密

99. 这种工具我们公司**有的是**,长的、短的,你随便用。
    A. 有一些
    B. 有很多
    C. 都有
    D. 确实有

100. 到处都是假药，真让人**伤脑筋**。
　　A. 头疼
　　B. 生病
　　C. 伤心
　　D. 生气

# 第二部分

说明：101～130 题，每段文字后都有若干个问题，每个问题都有 ABCD 四个答案，请快速阅读并根据它的内容选择惟一恰当的答案（在答卷上的字母上画一横道）。

101～102
　　北京一家技术研究所引进国外先进技术生产出一次性纸餐具，该产品不仅有耐酸、碱、盐、油、热等特点，而且美观、卫生，可在短时间内自然风化、分解，也可以回收利用，对环境无污染，是保护环境的绿色产品。

101. 这段文字介绍的是什么？
　　A. 一种新方法
　　B. 一种新食品
　　C. 一种新用品
　　D. 一种新型纸

102. 关于这种产品的优点，下面哪一点没有被提到？
　　A. 抗腐
　　B. 干净
　　C. 好看
　　D. 耐用

心灵减负，心灵的重负一样会把人累死。
　　沉湎于旧日的失意是脆弱的，迷失在痛苦的记忆里是可悲的。忘记是一种超脱，一种风度，一种坚强，一种对生活中忧愁痛苦的傲视与嘲讽。学会忘记，你就会宽容豁达，走出百忧烦心的泥潭，你就会更有朝气和活力，更有信心与力量。

103. 这段话的主要意思是：
　　A. 介绍一种昆虫
　　B. 讲一则寓言
　　C. 介绍一种记忆的方法
　　D. 论述一种正确的生活态度

104. 作者的语气是：
　　A. 鼓励的
　　B. 赞扬的
　　C. 急切的
　　D. 气愤的

103～104
　　有一种小昆虫，本来可以轻松地活着，但是它太贪，一路走过去，遇到喜欢的东西就背，不肯舍弃，结果酿成了悲剧。不懂得给

105～107
　　一般人认为，北极熊全身厚厚的白毛是用来保温御寒的。其实，北极熊的毛不是白色的，作用也并非是保暖，而是将阳光直接

55

变成热能。北极熊的毛是完全透明的,之所以呈白色,纯粹是阳光反射其皮肤下层的毛孔而呈现的颜色。北极熊的毛能起"能源转换器"的作用:首先,它吸收太阳的紫外线,然后把紫外线传送到北极熊的黑色皮肤上。在那里,紫外线的热能就会被吸收,以保持体温,不被北极奇寒所冻僵。由于北极熊的体毛具有如此奇效,科学家希望利用其原理制造出优良的太阳能发电机。

105. 为什么北极熊不会受冻?
A. 它的毛很厚可以保暖
B. 它的毛可以反射阳光
C. 它的毛可以有效地吸收阳光
D. 它的毛可以转化成热能

106. 北极熊的皮肤是:
A. 黑色的
B. 透明的
C. 紫色的
D. 白色的

107. 根据这段文字,科学家们:
A. 制造出了一种优良的太阳能发电机
B. 正在用北极熊的毛制造一种产品
C. 从北极熊身上得到了启发
D. 正在研究北极熊是怎么保暖的

108～110

100 年来,汽车生产商一直推销这样的概念:"你的"汽车可以给你带来随心所欲的体验,它使你行动自由,出入方便,身价更高,魅力大增。可事实上,拥有汽车的人,不管是买车还是租车都要花去一大笔钱,而后还得接连不断地为汽油、保险、维修以及数不清的配件掏腰包。然而,尽管有这么多的花费和麻烦,汽车却比任何其他东西都更被人们所喜爱,其原因很简单,那就是,你想去

哪儿,汽车就能把你带到哪儿,而且是独自前往,也不受天气的影响,沿路还可以欣赏自己所喜欢的音乐等等,这使人们愿意为这份随心所欲而付出金钱。

108. 这段文字认为人们喜欢汽车最重要的原因是什么?
A. 使你很有魅力
B. 在路上可以欣赏音乐
C. 环境很舒适
D. 给你自由的感觉

109. "掏腰包"的意思可能是:
A. 花钱
B. 经济紧张
C. 不知道该怎么办
D. 努力地工作

110. 对于汽车带来的花费和麻烦,作者认为:
A. 人们不能接受
B. 令人生气
C. 人们并不是很在乎
D. 汽车生产商会使你忘掉

111～112

朋友们聚会时做了一个小小的游戏。

规则如下:三十多人分两排坐定,在规定的时间内,由坐在两排排头的人把同样内容的话,一个挨一个低声传下去,先传到为胜。我问了一下内容,原话是:小芳与大方谈恋爱,小芳的爸爸没意见,大方的妈妈不同意。

"开始!"——只见朋友们一个个低声而匆忙地说着什么。

"停!"——甲组正好传到最后一人,传话的结果是:小芳与爸爸谈恋爱,大方的妈妈没意见。"主持人宣布原话内容,全场大笑,我也笑了:你看,这就是传言!

111. 关于这个游戏,下面哪句话不正确?
    A. 传话结果与原话不一样
    B. 甲组虽然说得很慢,可仍然传错了
    C. 传话时大家的声音都很小
    D. 两组都希望先传完

112. 这个游戏意在说明:
    A. 悄悄话不可靠
    B. 同音字易混淆
    C. 传言多么不可靠
    D. 传言多么有趣

113~115
    大量事实表明,干旱气候、多沙环境,只是沙漠化的物质基础,人类活动才是导致沙漠化的主要原因。人类是沙漠化的制造者,又是沙漠化的受害者,人类的悲剧即表现在这里。在人与自然的关系上,人类始终处于主动地位,自然则处于被动地位,人类对自然的影响日益扩大,自然因素通过人类活动发生作用。人类如果能够改变自己的行为,调整自己的生活方式,减少对自然的破坏,使人类与自然处于一种和谐发展状态,就可以防止沙漠化的发生。

113. 这段文字的主要用意是希望人们
    A. 改善与自然的关系
    B. 研究沙漠绿化
    C. 提高智力水平
    D. 注意气候变化

114. 根据这段文字,沙漠化的主要原因是:
    A. 气候干旱
    B. 树木减少
    C. 人为因素
    D. 地质变化

115. 根据这段文字,下面哪句话是正确的?
    A. 人类不能完全避免沙漠化

B. 人类的控制使自然因素不能发挥作用
    C. 人类应该发展高科技产业
    D. 人类应该避免走进自己制造的悲剧

116~118
    为加强环保工作,莫斯科市组建了"环保警察局",被称为"绿色警察"的环保警察已开始上岗执勤。莫斯科原来负责环境保护工作的人员基本上是妇女,她们在工作中困难重重,经常遇到威胁恫吓,难以正常开展工作。如有人把街上扫的雪整卡车地往莫斯科河倾倒;有人在鸟市上贩卖受保护的动物;有人在河边洗汽车;有人擅自锯倒窗前的树;有的部门随意倾倒垃圾、废料。这些都属于破坏环境保护的违法行为,原来靠环保人员依法劝阻,或收效甚微或无济于事,现在有环保警察协同她们开展工作就容易多了。

116. 莫斯科市为什么组建环保警察局?
    A. 破坏环境保护的违法行为太多了
    B. 莫斯科市环境状况太差
    C. 原来的环保警察太少
    D. 原来的环境保护工作效果不好

117. 组建环保警察局可以:
    A. 加大执法力度
    B. 保护妇女
    C. 取代原来的环保人员
    D. 与治安警察一起工作

118. 根据这段文字,下面哪种行为不属于破坏环境保护的违法行为?
    A. 在河边洗汽车
    B. 把街上扫的雪倒进莫斯科河
    C. 乱倒垃圾、废料
    D. 在鸟市卖鸟

119～124

"远离"的意象在这个世界上产生已经一百年了,它是在世界城市化浪潮的背景下产生的,这个时候在我们这里出现一点也不奇怪。它是城市情绪而不是别的。

大多数人不会抛家舍业去漫游、历险和隐居。但是一部分人则在买来的山水画中,用眼睛在那山巅水间构筑着自己想像中的居室。山水画是城市生活的心理代偿品。古人品评山水画有一个标准:"可居",也许就是这层意思。在我买山水画的时候,我清楚地感到了这种心理。

海尔-波普彗星刚刚走开,随它而去的是什么呢?我的一位朋友不久前成了天文迷,夜晚用望远镜在城市林立的楼群之间寻找着他认识的星星。他后来向我深刻剖析了他自己,说他的这种爱好,也有远离尘嚣的倾向。

我没有。我实际得多。我这一段"耿耿于怀"的,不是海尔-波普彗星,而是马上就会在我家西窗外被遮住的夕阳,因为一栋10层高楼正在一级级升起。我用眼睛丈量着属于我的空间还剩下多少,想像着乡间旷野能够有多少时辰拥有阳光。

瞧瞧,在今天的城市里,只这一点点缺憾,它们不会真的把我们推到青山古寺里去,但是,它们却向我们揭示:我们想要什么样的生活。

119. 这段文字描述了:
　　A. 一种情绪
　　B. 一种艺术
　　C. 一段经历
　　D. 一个故事

120. "远离"是什么意思?
　　A. 海尔-波普彗星刚刚走开
　　B. 人们渴望离开都市生活
　　C. 人们希望去旅行
　　D. 人们常常幻想

121. 作者认为,人们买山水画是因为:
　　A. 想布置房间
　　B. 想住在那儿
　　C. 想到那儿旅行
　　D. 想发现秘密

122. 作者想用"朋友用望远镜看星星"的事情说明:
　　A. 住在城市里的人想尽办法接近自然
　　B. 海尔-波普彗星影响很大
　　C. 现在有许多人爱好天文
　　D. 高楼大厦不允许人们有天文爱好

123. 令作者烦恼的是:
　　A. 他的朋友太不现实
　　B. 他住的地方太高了
　　C. 他的视野越来越不开阔
　　D. 他的家里看不见阳光

124. 作者说"在今天的城市里,只这一点点缺憾"的口气是
　　A. 乐观的
　　B. 讽刺的
　　C. 庆幸的
　　D. 无所谓的

125～130

最近,研究人员进行了一项试验:先向受试者展示一组和睡眠相关的词,包括"床"、"梦"、"打盹"、"鼾声"等,然后,请受试者回忆所看到的词语。结果许多人声称其中有"睡觉"一词,尽管实际上没有,可他们赌咒发誓说,当中有那个词,因为他们清清楚楚地看到了睡觉的情景。

大脑有时会回忆起从未发生过的事情,如在商店走失之类。这是由于反复想像过去

的经历而在大脑中产生的认定。大多数人都有发生记忆错误的经历，只是很少有人意识到记忆错误是经常发生的。

记忆发生错误常常是因为想像引起感觉夸大，而重复想像则引发熟悉的感觉，认为实际上没有发生过的事情发生过。人们常常认定的向慈善机构捐款的数额比事实上的大，许多父母认为自己的孩子当年很早就会走路了等等，就是这方面最好的证明。

研究表明，记忆是可以改变的。在电视十分普及的今天，人们在电视上看到的他人的经历，会下意识地转嫁到自己身上。比如某人会恍惚记得曾和男朋友在花店里吵过架，可实际上，那只是她所看过的一个电视剧里的情节。而由于这种记忆错误，杀人犯有时会真的相信自己没杀过人。

125. 文章开头科研人员进行试验的目的是为了研究：
   A. 睡眠和梦的关系
   B. 记忆错误与睡眠的关系
   C. 不同个体记忆力差异
   D. 想像与记忆错误

126. 关于这次试验，下面哪句话是正确的？
   A. 试验者请受试者想像睡觉的情景
   B. 发现受试者的记忆力很差
   C. 受试者并没有看到"睡觉"一词
   D. 受试者不愿意诚实地回答问题

127. 关于记忆错误，作者认为
   A. 并不经常发生
   B. 是不自觉发生的
   C. 和人的性格有关
   D. 和梦有一定关系

128. 许多父母认为自己的孩子很早就会走路了，作者想以此说明：
   A. 人的记忆力随年龄而衰退
   B. 人们对过去的态度
   C. 父母常常有点儿虚荣
   D. 反复想像可以改变记忆

129. 下面哪个方面文中没有谈到？
   A. 发生记忆错误的原因
   B. 人们对记忆错误的了解程度
   C. 记忆错误与性别的关系
   D. 记忆错误发生的过程

130. 根据本文，一个杀人犯认为自己没有杀人可能是因为：
   A. 反复想像使自己也信以为真
   B. 他不想受惩罚而说谎
   C. 把电视里的情节当成现实
   D. 大脑受到强烈刺激

# 四、综合填空

(40题,30分钟)

## 第一部分

说明:131～154题,每段文字中都有若干个空儿(空儿中标有题目序号),每个空儿右边都有ABCD四个词语,请根据上下文的意思选择惟一恰当的词语(在答卷上的字母上画一横道)。

131～140

参加潜水活动必须具备以下几个基本131:

1. 年龄一般不得小于14岁。对于年龄较大的,只要身体状况良好,能背得132装备的,在年龄上一般不作133。

2. 身心健康,134无法在水中安全活动。因为水压可能使某些疾病更加135,如中耳炎、鼻窦炎、冠心病等等。136,还必须有相互协作的精神。在水下活动137紧急情况时,必须要有同伴的配合,才能保证安全。

3. 有一定的游泳基础。虽然不138游泳也可以潜水,但是必须尽快提高游泳水平。

4. 受过潜水训练。水的各种物理属性对人的生理会有直接与间接的139,如果不能140克服,将造成不良的后果。

131. A. 条件　　B. 要求　　C. 标准　　D. 特点

132. A. 上　　　B. 动　　　C. 出　　　D. 下

133. A. 局限　　B. 范围　　C. 控制　　D. 限制

134. A. 以便　　B. 或者　　C. 还是　　D. 否则

135. A. 严厉　　B. 严肃　　C. 严重　　D. 严格

136. A. 再说　　B. 除外　　C. 此外　　D. 其它

137. A. 见到　　B. 见面　　C. 看见　　D. 遇到

138. A. 行　　　B. 能　　　C. 会　　　D. 善

139. A. 影响　　B. 参与　　C. 结果　　D. 感染

140. A. 给予　　B. 难以　　C. 加以　　D. 足以

141～144

　　西安是我国最古老的城市之一，历史上曾有十三个王朝在141建都。深厚的文化积淀142西安人对读书情有独钟，独特的人文143，孕育了如此众多的各类书屋；144书屋又从另一个方面，为古都西安平添了几分书卷气。

141. A. 这　　B. 那　　C. 此　　D. 之
142. A. 把　　B. 被　　C. 给　　D. 使
143. A. 周围　B. 环境　C. 空气　D. 标准
144. A. 则　　B. 而　　C. 却　　D. 倒

145～149

　　踏145中山路，处处给人以整洁、舒适的感觉。人行道、行车道、商店店堂干干净净，146有不注意的行人丢147果皮纸屑，很快就被148红色遮阳帽的清洁工扫掉；而商店的广告牌，也都摆149店门内侧。

145. A. 进　　B. 去　　C. 来　　D. 上
146. A. 忽然　B. 偶尔　C. 居然　D. 偶然
147. A. 下　　B. 了　　C. 去　　D. 出
148. A. 戴　　B. 穿　　C. 系　　D. 冠
149. A. 了　　B. 在　　C. 着　　D. 放

150～154

　　家庭是过度加班问题的直接受害者。男人需要在工作中150成就感，151家庭既需要工资养家，又需要有感情投入的时间。152真是一个很难153的矛盾154！

150. A. 获得　B. 引起　C. 拿到　D. 养成
151. A. 却　　B. 反而　C. 而　　D. 则
152. A. 这　　B. 那　　C. 此　　D. 它
153. A. 解释　B. 解答　C. 解决　D. 解救
154. A. 呢　　B. 啊　　C. 吧　　D. 吗

# 第二部分

---

说明：155～170题，每段话中都有若干个空儿（空儿中标有题目序号），请根据上下文的意思在答卷上的每一个空格中填写一个恰当的汉字。

---

155～157

　　洪菊英从<u>155</u>篮球教练工作已有 23 年了，在这 23 年里，先后带过 6 支女子篮球队，10 个年龄段、200 多名女子篮球运<u>156</u>员。她所带的篮球队曾多次在北京市的比赛中获得冠<u>157</u>。

158～161

　　那时，我经常晚<u>158</u>读书。有时家里人都睡下了，我依然沉<u>159</u>在书本里，结果到自己洗漱的时候，把别人给吵<u>160</u>了，还要<u>161</u>骂。后来我考上大学，父亲说："看来，那时骂他是错了。"

162～168

　　我于去年 8 月 21 日上午到五棵松电话局办理申<u>162</u>安装电话手<u>163</u>，被告知需购买电话机才予办理，我只好买了一部，可当时并没有给我，说是安装时会有人把话机带来。今年 1 月 29 日下午，展览路电话局来人安装电话，却向我要话机，我说明情<u>164</u>后，他们说："你得自己到五棵松电话局去取。"我怕一拖又是好长时间，只好临<u>165</u>买了一部话机装上。为了要回原先的那部话机，我找到五棵松电话局询<u>166</u>。咨<u>167</u>处说，要凭以前发的"绿联"才能领出话机，但是当初根<u>168</u>就没有给我什么联，发票也未注明是否给了我话机，我现在真不知该怎么办了。

169～170

编辑同志：

　　我的孩子智商不低，但学习成<u>169</u>却不好。我一遍遍地辅<u>170</u>，可孩子就是学不会，让我又着急又生气。请问我该怎么办？

# 第二套听力理解文本

## 一、听力理解

### 第一部分

1. 老张、老王和老杨去机场接老方,没想到飞机误点,他们等了很长时间。
   问:谁乘飞机回来?
   B

2. 老万,一年没见,没想到你变化这么大。
   问:这句话是什么意思?
   C

3. 为了减肥,张华每天喝减肥茶,结果除了胖以外,又添了个失眠的毛病。
   问:这句话告诉我们什么?
   C

4. 要不是小王提醒我,我早就忘了今天的会了。
   问:这句话告诉我们什么?
   D

5. 图书馆假期开放的时间是这样的:每周一、三、五上午,二、四、六下午及晚上,星期天上、下午。
   问:图书馆星期三什么时候开放?
   A

6. 李晓丽这样做太不像话了。
   问:下面哪句话不正确?
   A

7. 明天白天阴,风向南转北,风力 2、3 级,最高温度 12 度。
   问:明天白天天气怎么样?
   D

8. 你说这儿公共汽车方便？每十几分钟才有一趟,还一点儿也不准时。
   问:说话人认为这儿的公共汽车怎么样?
   C

9. 从泰山上下来以后,我们都非常累,尤其是李宏。
   问:这句话是什么意思?
   B

10. 老李昨天晚上去听 7 点半的音乐会,迟到了,工作人员不让他进,怕影响别人,他急了,说:
    "你们规定晚半个小时才不许进,我才晚了 15 分钟。"
    问:老李是几点钟到音乐厅的?
    B

11. 你一会儿说去,一会儿说不去,到底去不去呀?
    问:说话人是什么态度?
    C

12. 这些天工作特别忙,今天晚上又得开夜车了。
    问:说话人是什么意思?
    C

13. 昨天下午小李考英文,上午他打了三个小时的篮球,觉得非常累,中午睡觉没有听到闹钟
    响,醒来的时候考试已经结束了。今年他的英语得重考了。
    问:小李发生了什么事?
    A

14. 好吧,去武汉就去武汉,总比哪儿都不去待在家里强。
    问:说话人是什么口气?
    B

15. 把烟熄掉,没看见那边黑板上写着"严禁在车间吸烟"吗?
    问:说话人可能在什么地方?
    C

## 第二部分

16. 女:明天我们要考试,如果我请假,老师会怎么想呢?
    男:不要紧,我会给你开病假条的。
    问:男的可能是干什么的?

C

17. 女：你们这儿有没有吃饭用的桌子？
    男：只剩一张了，腿儿有点儿毛病，你最好过几天再来看看。
    问：对话可能发生在什么地方？
    C

18. 女：说好两点开会，都两点半了怎么还不开？
    男：每次不都是这样吗？我看三点开始就不错了。
    问：下面哪句话是错的？
    D

19. 男：这么好的苹果一块五一斤可不行，最便宜也得一块七。
    女：好吧，我来二斤。
    问：女的得付多少钱？
    D

20. 男：赵先生今年多大了？
    女：他才 30 岁，可他的相貌和年龄很不相符。
    问：女的是什么意思？
    B

21. 男：这照片拍得也太差了，你是怎么拍的？
    女：怪我？先看看你给我的相机吧！
    问：女的是什么意思？
    D

22. 女：听说你要和张丽结婚了。
    男：别逗了，我和她？
    问：男的是什么意思？
    C

23. 女：虽然剩下的时间不多了，但只要大家齐心协力，就一定能完成今年的任务。
    男：哼，光听你说了。
    问：男的是什么意思？
    C

24. 女：小王，回来了，这次旅行怎么样？
    男：真够受的。

问:男的认为这次旅行怎么样?

B


25. 女:爸爸给爷爷买了一本书。

男:对,爷爷说不错,就是看起来太费眼。

问:男的是什么意思?

D


26. 女:这台机器,李师傅一来声音也小了,运转也正常了。

男:还得说是老师傅啊!

问:从对话中我们可以知道什么?

A


27. 女:孩子们还在玩游戏吗?

男:急也没用,看样子一时半会儿还完不了呢。

问:从对话中我们可以知道什么?

A


28. 女:听说小郑病了。

男:病什么呀,我刚才还在校园里看见他来着。

问:男的是什么意思?

B


29. 女:听说你八月份要结婚?

男:不是,是我妹妹八月份结婚,等她办完,一个月以后,我再办。

问:从对话中我们可以知道什么?

C


30. 男:你昨天怎么那么晚才回来?妈妈简直急死了。

女:我去跳舞了,回来时没赶上车。

问:从对话中我们可以知道什么?

A


31. 女:昨天的晚会都谁去了?

男:除了李晓丽和王虹,我们3班的人都去了。

问:从对话中我们可以知道什么?

D


32. 女:这是我儿子,叫李明。

男:啊呀,多可爱,几岁了?

问:回答可能是什么?

A

33. 女:这个月的读书报告要多少字?什么时候交呢?

男:不少于两千字,最迟下月初交。

问:说话的两个人是什么人?

C

34. 女:老何,货送晚了,你能不能开快点?

男:开快?你看车这么多,路这么窄,没法快。

问:对话可能发生在什么地方?

B

35. 女:你每天这么早一顿晚一顿地吃,早晚你的胃会受不了的。

男:得了,得了,我的胃受得了,可是现在我的耳朵受不了了。

问:男的是什么态度?

D

## 第三部分

36 到 38 题是根据下面一段话:

男:对不起,小说不在这儿。

女:是吗?请问,在哪儿?

男:你可以到二楼去借。

女:我去了,是他们告诉我说 95 年以后的书在一楼开架阅览室。

男:啊,是这样,一楼有两个开架阅览室,这里只有理科方面的书,文科开架阅览室在走廊的那头儿。

女:谢谢。

36. 女的想做什么?

B

37. 女的遇到了什么问题?

D

38. 谈话结束后,女的要做什么?

D

39 到 41 题是根据下面一段话:

筷子是中国古老文明的象征之一。据说,在周代和秦代,人们吃饭是用手抓着吃的。到了汉朝,才开始使用筷子。唐代以前,筷子作为中华文化传播到了亚洲各国,产生了广泛的影响。

在日本,每年的 8 月 4 日是筷子节,朝鲜、越南、新加坡等国的人们也都喜欢用筷子吃饭。筷子的好处不仅在于卫生、安全,许多科学家认为,经常使用筷子可以使手指灵活、头脑发达,对健康十分有益。

39. 中国人是什么时候开始使用筷子的?

    D

40. 筷子节是哪国的节日?

    B

41. 关于筷子的好处,文中没有提到哪一点?

    A


42 到 44 题是根据下面一段话:

女:喂,是冯斌吧?我是秦真。

男:秦真,是你呀!自从毕业就没再见过你,你跑到哪儿去了? 你现在在上海吗?

女:是啊,我从广州过来,路过上海去瑞士出差,住在南京路饭店。今天刚把手续办完。

男:这里的同学都想见你呢,你手续办完,应该有空。怎么样,明天到我家聚聚吧,我一会儿就通
    知他们。

女:我是明天的机票,一周左右回来,到时候我再给你们打电话吧,我特别想见见田成。

42. 从对话中我们可以知道,谈话的两个人

    B

43. 女的是在哪里打电话的?

    B

44. 女的为什么不能参加聚会?

    D


45 到 47 题是根据下面一段话:

    夏女士的丈夫原来在一个研究所工作,清闲自在,但收入很少。她就经常在他耳边吹风:谁
的丈夫发财了,谁家的先生又出国了……谁像你! 整天在家待着,没出息! 丈夫一狠心辞了职,
下了海,去了一家计算机公司任部门经理。收入是大大提高了,但几乎所有的时间都奉献给公
司了,每天要到 9、10 点才下班,有时甚至工作到 12 点以后,周末必有一天加班。回家就是睡
觉,家就像旅馆一样,两个人根本没有交谈的时间。夏女士的心里痛苦极了,难道这就是自己原
来想要的生活吗?

45. 夏女士的丈夫原来在什么地方工作?

    A

46. 夏女士的丈夫为什么换工作?

    B

47. 夏女士现在遇到了什么问题?

    C


48 到 50 题是根据下面一段话:

女:哟,你这是怎么了?眼睛都青了。

男:刚才在中华影院买电影票,有个家伙在前面加塞儿,我过去说他,他不但不听,还骂人,我一
　　急就伸了手。现在去外科看一下。

女:是吗?你不是练过功夫吗?怎么给打成这样?

男:主要是我戴着眼镜。他先把我的眼镜打掉了,我什么也看不见,还能不吃亏?

女:看来下次你得先配隐形眼镜,再去当英雄。

48. 男的可能要去什么地方?

　　 A

49. 男的有什么问题?

　　 D

50. 女的为什么说男的应该配戴隐形眼镜?

　　 C

# 第二套标准答案

## 一、听力理解

### 第一部分

1. B  2. C  3. C  4. D  5. A  6. A  7. D  8. C  9. B  10. B  11. C  12. C  13. A  14. B  15. C

### 第二部分

16. C  17. C  18. D  19. D  20. B  21. D  22. C  23. C  24. B  25. D  26. A  27. A  28. B  29. C  30. A  31. D  32. A  33. C  34. B  35. D

### 第三部分

36. B  37. D  38. D  39. D  40. B  41. A  42. B  43. B  44. D  45. A  46. B  47. C  48. A  49. D  50. C

## 二、语法结构

### 第一部分

51. B  52. B  53. A  54. C  55. D  56. D  57. C  58. D  59. C  60. D

### 第二部分

61. A  62. B  63. B  64. B  65. C  66. B  67. A  68. C  69. B  70. B  71. A  72. D  73. C  74. B  75. A  76. C  77. A  78. A  79. A  80. B

## 三、阅读理解

### 第一部分

81.C  82.B  83.B  84.A  85.C  86.C  87.B  88.A  89.D  90.B  91.A  92.B
93.C  94.A  95.C  96.B  97.B  98.A  99.B  100.A

## 第二部分

101.C  102.D  103.D  104.A  105.C  106.A  107.C  108.D  109.A  110.C  111.B
112.C  113.A  114.C  115.D  116.D  117.A  118.D  119.A  120.B  121.B  122.A
123.C  124.B  125.D  126.C  127.B  128.D  129.C  130.A

# 四、综合填空

## 第一部分

131.A  132.B  133.D  134.D  135.C  136.C  137.D  138.C  139.A  140.C  141.C
142.D  143.B  144.B  145.D  146.B  147.A  148.A  149.B  150.A  151.C  152.A
153.C  154.B

## 第二部分

155.事  156.动  157.军  158.上  159.浸  160.醒  161.挨  162.请  163.续
164.况  165.时  166.问  167.询  168.本  169.绩  170.导

# 模拟试卷(三)

## 注 意 事 项

一、汉语水平考试(HSK)包括四项内容：

    (1)听力理解(50 题,约 35 分钟)

    (2)语法结构(30 题,20 分钟)

    (3)阅读理解(50 题,60 分钟)

    (4)综合填空(40 题,30 分钟)

    全部考试时间约需 145 分钟。

二、全部试题答案必须写在答卷上,不能写在本试卷上。多项选择题(1~154 题)都有四个供选择的答案,要求在答卷上画出代表正确答案的字母,每题只能画一横道,多画作废,答错不倒扣分。如:[A][B][C][D̶]。请考生注意,HSK 使用阅读机阅卷,横道一定要画得粗一些,重一些,否则阅读机难以识别。综合填空题第二部分(155~170 题),请在答卷上的空格中各填写一个恰当的汉字。

三、注意看懂题目的说明,严格按照说明的要求在规定的时间内回答问题。听力理解试题,每个问题后空 15~20 秒的时间,以供选择答案。

四、严格遵守考场规则,听从主考人的指挥。考试结束后,必须把试卷和答卷放在桌上,等监考人员回收、清点后,才能离场。

# 一、听力理解

(50题,约35分钟)

## 第一部分

说明:1~15题,这部分试题,都是一个人说一句话,第二个人根据这句话提一个问题,请你在四个书面答案中选择惟一恰当的答案。

例如:第8题,你听到:

第一个人说:……

第二个人问:……

你在试卷上看到四个答案:

A. 七点十分    B. 七点    C. 十点七分    D. 六点五十

第8题惟一恰当的答案是D,你应在答卷上找到号码8,在字母D上画一横道。横道一定要画得粗一些,重一些。

8.[A]　[B]　[C]　[D]

1. A. 晓刚的女朋友
   B. 于丽的好朋友
   C. 张华中
   D. 晓刚的好朋友

2. A. 他觉得湖南菜比四川菜辣
   B. 他觉得四川菜不辣
   C. 他觉得湖南菜没有四川菜辣
   D. 他觉得湖南菜和四川菜一样辣

3. A. 摄影师
   B. 裁缝
   C. 售货员
   D. 饭店服务员

4. A. 70 元
   B. 105 元
   C. 73.5 元
   D. 150 元

5. A. 男的没有胃口
   B. 这是一本关于烹调的书
   C. 这本书写得很糟糕
   D. 男的觉得看菜谱太麻烦

6. A. 头疼
   B. 感冒了
   C. 发烧
   D. 没考好

7. A. 收音机
   B. 电视机
   C. 电脑
   D. 录音机

8. A. 这辆车又好又便宜
   B. 这辆车不好而且很贵
   C. 这辆车虽然好但有点贵
   D. 车贵点没关系, 质量好就行

9. A. 说话人没有淋雨
   B. 说话人忘了带雨伞
   C. 说话人带了雨伞, 可还是淋湿了
   D. 说话人应该带雨伞, 不然会淋湿

10. A. 不到 5 万公斤
    B. 5 万公斤整
    C. 很高
    D. 太低

11. A. 你太太正在担心
    B. 你太太不会担心
    C. 你不要回家太晚
    D. 你回来的时候, 买些早点

12. A. 反对
    B. 犹豫
    C. 模棱两可
    D. 同意

13. A. 你们两个人的问题不要混在一起
    B. 你们俩的问题是一样的
    C. 要么你先谈, 要么他先谈
    D. 你的问题比他的严重

14. A. 应该请别人解决
    B. 别人更不能解决
    C. 别人不应该说什么
    D. 不要管别人怎么说

15. A. 老王不在, 我们不知道要做什么
    B. 老王不在, 我们也能完成
    C. 老王不在的时候, 我们总是能做好
    D. 老王来了, 我们就一定能完成

## 第二部分

说明：16～35题，这部分试题，都是两个人的简短对话，第三个人根据对话提出一个问题，请你在四个书面答案中选择惟一恰当的答案。

例如：第22题，你听到：

22. 第一个人说：………

第二个人说：……

第三个人问：……

你在试卷上看到四个答案：

A. 睡觉　B. 学习　C. 看病　D. 吃饭

第22题惟一恰当的答案是C，你应在答卷上找到号码22，在字母C上画一横道。横道一定要画得粗一些，重一些。

22．〔A〕　〔B〕　〔C〕　〔D〕

16. A. 记者
    B. 邮递员
    C. 大学生
    D. 演员

17. A. 图书馆
    B. 出版社
    C. 书店
    D. 文具店

18. A. 530元
    B. 500元
    C. 480元
    D. 430元

19. A. 不到十个小时
    B. 他不知道
    C. 比十个小时多
    D. 不可能

20. A. 10层
    B. 11层
    C. 16层
    D. 17层

21. A. 很不舒服
    B. 很小
    C. 很整洁
    D. 有很多窗子

22. A. 价钱不是最重要的
    B. 没想到价钱会不一样
    C. 不同意女的的看法
    D. 决定去上海

23. A. 问女的是不是真的
    B. 问女的听谁说的
    C. 他已经听说了
    D. 晓丽不会离婚

24. A. 同意
    B. 惊喜
    C. 怀疑
    D. 抱怨

25. A. 做实验
    B. 点菜
    C. 学习
    D. 做饭

26. A. 这本书第十课很容易
    B. 这本书第四课很难
    C. 这本书课后练习很难
    D. 这本书后半部分不容易

27. A. 最近生病了
    B. 和邻居吵架了
    C. 化妆太重了
    D. 没有休息好

28. A. 给玛丽写一篇文章
    B. 请男的去看电影
    C. 向男的借词典
    D. 请男的帮她翻译一篇文章

29. A. 女的应该让王飞发誓
    B. 王飞的话是真的
    C. 让女的小心一点儿
    D. 祝女的和王飞白头到老

30. A. 女的想剪短头发
    B. 女的家里的空调有问题
    C. 女的的脖子不舒服
    D. 女的想做件流行的衣服

31. A. 很喜欢,很时髦
    B. 颜色不好,样子很好
    C. 颜色可以,样子不喜欢
    D. 样子、颜色都不好

32. A. 苏州、杭州、上海
    B. 南京、苏州、杭州
    C. 北京、南京、苏州、杭州
    D. 南京、苏州、杭州、上海

33. A. 问现在几点了
    B. 问几点钟到
    C. 现在走太早了
    D. 现在走太晚了

34. A. 理发师和顾客
    B. 售货员和顾客
    C. 裁缝和顾客
    D. 画家和模特儿

35. A. 花店
    B. 医院
    C. 咖啡馆
    D. 丝绸店

第三部分

36. A. 江面上
    B. 飞机上
    C. 公路上
    D. 铁路上

37. A. 早晨
    B. 上午
    C. 下午
    D. 晚上

38. A. 818人
    B. 1100多人
    C. 90人
    D. 180多人

39. A. 速度过快
    B. 人为破坏
    C. 刹车失灵
    D. 还不清楚

77

# 1 · 1 · 1 · 1 · 1

40. A. 电话里
    B. 医院里
    C. 教室里
    D. 王芳家里

41. A. 上课常常不带书
    B. 考试常常迟到
    C. 感冒、发烧、咳嗽
    D. 失眠、头疼、做噩梦

42. A. 睡觉太多
    B. 压力太大
    C. 玩的时间太长
    D. 选的课太多

43. A. 科学家正在研究它
    B. 和睡眠有关系
    C. 是情绪的反应
    D. 现在还很神秘

44. A. 所有眼泪成分都是相同的
    B. 可以表达不同的情绪
    C. 可以使心情好一点
    D. 可以带走体内的某种物质

45. A. 早晨
    B. 中午
    C. 晚上
    D. 夜里

46. A. 增加新词，去掉了一些旧词
    B. 词义解释得更清楚了
    C. 换了新例句
    D. 改正了以前的错误

47. A. 他们谈论的不是同一本词典
    B. 他们买的版本不同
    C. 女的没仔细看词典
    D. 男的不了解专家们的评价

48. A. 销售额
    B. 经营范围
    C. 购书人数
    D. 科技书销售

49. A. 大学生
    B. 一般收入的家庭
    C. 科技人员
    D. 中学生

50. A. 程序编排书籍
    B. 言情小说
    C. 名家名著
    D. 精品书籍

78

# 二、语法结构

(30题,20分钟)

## 第一部分

说明:51~60题,在每一个句子下面都有一个指定词语,句中ABCD是供选择的四个不同位置,请判断这一词语放在句子中哪个位置上恰当。

例如:

55. 我们 A 一起 B 去上海 C 旅游 D 过。

　　　　没有

"没有"只有放在句中 A 的位置上,使全句变为"我们没有一起去上海旅游过",才合乎语法。所以第55题惟一恰当的答案是 A,你应在答卷上找到号码 55,在字母 A 上画一横道。横道一定要画得粗一些,重一些。

55. [A̶] 　 [B] 　 [C] 　 [D]

51. A 物质生活水平的提高,B 人们的精神生活 C 也 D 越来越丰富了。

　　　　随着

52. A 你 B 犯 C 同样的错误,他当然会 D 生气了。

　　　　总是

53. 从这里乘新干线到东京大概要 A 两 B 个 C 小时 D。

　　　　半

54. 请 A 告诉我 B 这句话能 C 说 D 吗?

　　　　这样

55. 他 A 不但日语和 B 英语说得好,C 法语水平 D 很高。

　　　　也

56. 张艺清 A 一直 B 走 C 我们 D 后面,你没看见吗?

　　　　在

57. 我 A 真的 B 把 C 这件事 D 告诉小华。

　　　　没有

58. 他自己 A 理解错了我的意思,B 说 C 我 D 没说清楚。

　　　　反而

59. 当老师批评 A 经常迟到 B 的学生 C
时,许丽不禁脸红 D。
　　　　　　了

60. A 你 B 能 C 这样教育 D 孩子呢?
　　　　怎么

# 第二部分

说明:61~80题,每个句子中有一个或两个空儿,请在 ABCD 四个答案中选择惟一恰当的填
上(在答卷上的字母上画一横道)。

例如:

67. 我昨天买了一_____钢笔。

A. 件　　B. 块　　C. 支　　D. 条

我们只能说:"我昨天买了一支钢笔",所以第 67 题惟一恰当的答案是 C,你应在答卷上
找到号码 67,在字母 C 上画一横道。横道一定要画得粗一些,重一些。

67.[A]　　[B]　　[C]　　[D]

61. 他骑着一_____枣红色的小马照
了一张相。

A. 头
B. 匹
C. 只
D. 口

62. 这本《北京的早晨》的摄影集,_____
我感到非常亲切。

A. 使
B. 被
C. 把
D. 由

63. 事情发生得太_____了,我们谁都
没想到会出现这样的情况。

A. 居然

B. 突然
C. 猛然
D. 忽然

64. 最近工作挺_____的,没有时间和
朋友们联系。

A. 着急
B. 急忙
C. 紧张
D. 立刻

65. 我相信,中国的经济发展以后,国际地
位肯定_____提高的。

A. 也
B. 就
C. 则
D. 会

66. 他和我们_____那里的情况。

    A. 谈谈

    B. 谈一谈

    C. 谈了谈

    D. 介绍又介绍

67. 谁告诉你我们要举办演讲比赛,我____一点儿也不知道?

    A. 怎么

    B. 哪里

    C. 任何

    D. 什么

68. 你说得_____,我没太听懂你的意思。

    A. 快一点

    B. 一点快

    C. 有点快

    D. 快有点

69. 如果他真不想去,那我们就不要再____他了。

    A. 迷惑

    B. 勉强

    C. 无理

    D. 依赖

70. 最近,上海举办了一个 _____ 环境保护为主题的大型国际展览会。

    A. 用

    B. 以

    C. 把

    D. 让

71. 作为一位_____老演员,她对每一个角色的把握都很准确。

    A. 所喜爱观众的

    B. 所观众喜爱的

    C. 观众所喜爱的

    D. 喜爱所观众的

72. _____你要去日本工作,_____该利用这个机会把日语学好。

    A. 不但……而且

    B. 虽然……但是

    C. 哪怕……也

    D. 既然……就

73. 谢谢你们,所有日程都_____。

    A. 安排好得很

    B. 很安排得好

    C. 安排得很好

    D. 好安排得很

74. 这个国家二十年的变化真是太大____!

    A. 啊

    B. 了

    C. 呢

    D. 吧

75. _____你碰到什么麻烦,就赶紧给110打电话。

    A. 万一

    B. 万万

    C. 千万

    D. 万分

76. 你这幅中国画真漂亮,在哪儿买____?

    A. 了

    B. 过

    C. 呢

    D. 的

77. 他的病情很不稳定,身体_____的。

    A. 时时好坏

    B. 时坏时好

C. 时好时坏

D. 好时坏时

78. 昨天我哪儿都没去,就在屋子里____。

A. 一整天看了书

B. 看书了一整天

C. 看整一天书了

D. 看了一整天书

79. 如果我们一直这样不停地吵_____,

还不如离婚算了。

A. 起来

B. 下去

C. 过来

D. 上去

80. 张华虽然学历不高,工作经验_____

很丰富。

A. 却

B. 但

C. 并

D. 而

# 三、阅读理解

(50题,60分钟)

## 第一部分

说明:81～100题,每个句子中都有一个划线的词语,ABCD 四个答案是对这一划线的词语的不同解释,请选择最接近该词语的一种解释(在答卷上的字母上画一横道)。

81. 我可不想<u>白</u>吃人家的饭。
    A. 不花钱
    B. 没有菜
    C. 没有效果
    D. 白色的

82. 妈妈收拾房间的时候,发现孩子的桌子上放着一本<u>黄色</u>杂志。
    A. 黄色封面的
    B. 有趣的
    C. 惊险的
    D. 色情的

83. 在这种情况下,我<u>恨不得</u>马上回国去。
    A. 非常讨厌
    B. 非常希望
    C. 很后悔
    D. 不愿意

84. 他来到教室,<u>惊讶</u>地发现教室里一个人都没有。
    A. 高兴

    B. 奇怪
    C. 担心
    D. 着急

85. 他这个人办什么事都是<u>糊里糊涂的</u>。
    A. 非常慢
    B. 不清楚
    C. 很着急
    D. 很一般

86. 以前,得这种病的<u>十之八九</u>是老年人。
    A. 大部分
    B. 很少
    C. 年龄很大
    D. 时间很长

87. 一上大学,她就和我<u>吹</u>了。
    A. 告别
    B. 分手
    C. 结婚
    D. 吵架

88. 这种人,<u>本事</u>不大,脾气不小。

A. 年龄
B. 能力
C. 事情
D. 志气

89. 我给他写信让他下个月来上海时帮我们买一台电脑,他已经答应了。
   A. 回答
   B. 同意
   C. 回信
   D. 决定

90. 我真的很讨厌像他这种光说不做的人。
   A. 只
   B. 不
   C. 好
   D. 明

91. 你看,那个小女孩给布娃娃当妈妈,真好玩儿!
   A. 喜欢玩
   B. 很可爱
   C. 玩得很好
   D. 很会玩

92. 他小小的年纪,为什么处理问题这么冷静?
   A. 冷淡
   B. 安静
   C. 成熟
   D. 镇定

93. 我们已经掌握了这个地区的情况。
   A. 控制
   B. 了解
   C. 听懂
   D. 抓住

94. 你的主意听起来很不错,可是和实际情

况相差太远。
   A. 建议
   B. 态度
   C. 思想
   D. 建设

95. 刚到北方工作的时候,我因为水土不服,动不动就感冒,现在好多了。
   A. 不活动
   B. 外出
   C. 运动
   D. 容易

96. 我一进去,她就先把我打量了一番。
   A. 打招呼
   B. 考虑
   C. 盘问
   D. 上下看

97. 难怪杨青昨天晚上的表演那么精彩,她为这次个人舞蹈专场演出准备了两年。
   A. 精心
   B. 认真
   C. 出色
   D. 丰富

98. 见我们进来,她赶忙使了个眼色,摆了摆手。
   A. 招
   B. 摇
   C. 举
   D. 挥

99. 我爸爸有一种看法,觉得吃亏其实是一种福气。
   A. 吃苦
   B. 受损失
   C. 吃喝
   D. 工作

84

100. 我在这儿工作了将近二十年,这儿一百多人谁的<u>脾气</u>怎么样我都清清楚楚。

    A. 能力
    B. 健康
    C. 缺点
    D. 性格

# 第二部分

说明:101～130 题,每段文字后都有若干个问题,每个问题都有 ABCD 四个答案,请快速阅读并根据它的内容选择惟一恰当的答案(在答卷上的字母上画一横道)。

101～102

你知道谁是鸟类的祖先吗?百余年来,全世界所有的中学教科书都告诉孩子们:鸟类最早的祖先是始祖鸟,它生活在晚侏罗纪时期。课本上还描绘了始祖鸟的还原图,它与今天自由飞翔的鸟儿很不相同,前面两只翅膀上端有锐利的爪,虽然全身也有羽毛,但是它的嘴里还长着锐利的牙齿,它的尾巴很长,由许多节尾椎骨组成,就像传说中的小恐龙。

但是,历史,尤其是远古时期的历史,往往是在后人对前人的否定中日渐接近真实的。

101. 第一段主要说明始祖鸟的
    A. 生长年代
    B. 生活习惯
    C. 食物类型
    D. 外貌特征

102. 第二段暗示:
    A. 远古时期历史研究难度很大

    B. 远古时期历史应该否定
    C. 远古时期历史是真实的
    D. 鸟类最早的祖先可能并不是始祖鸟

103～104

堪称"中国商王"的上海第一百货股份有限公司去年 9 月在西安市商业旺地东大街开设了西安分店,仅半年时间,亏损就高达 200 多万元。问题主要出在观念上,上海一百经营者以老眼光来看西安人,店里最大的彩电是沪产的 54 厘米,羊毛衫、沪产女装款式陈旧。原来,"中国商王"竟把它在太原分店的滞销品运到了西安来销售。

103. 上文讲的是哪个商店的亏损问题?
    A. 上海第一百货股份有限公司
    B. 西安市东大街百货股份有限公司
    C. 上海一百西安分店
    D. 上海一百太原分店

104. 亏损的原因是:

A. 分店位置不好

B. 开业时间太短

C. 对西安不了解

D. 商品质量低劣

105～106

中国历史上的第一条铁路是淞沪铁路,已有百余年的历史,在上海的城市经济发展中发挥过重要作用。但是改革开放以来,上海市内交通拥挤状况日益严重,淞沪铁路设在交通繁忙地段,对市内交通的干扰很大,上海市政府再三讨论之后,决定将其拆除。最近淞沪铁路已结束了它的历史使命。从淞沪铁路拆除的车轨等物件将全部存放在博物馆,这是中国铁路历史的见证。

105. 关于淞沪铁路,下面哪一点没提到?

A. 它已被拆除

B. 现在仍很繁忙

C. 对市内交通影响很大

D. 部件将存放在博物馆

106. 为什么淞沪铁路如此重要?

A. 它有 100 多年的历史

B. 它在中国的铁路史上占有特别重要的地位

C. 它为上海的城市经济发展做出了贡献

D. 以上全部正确

107～108

作者在认真总结中国改革开放十多年来名牌工作经验教训的基础上,紧密结合中国经济建设的实际,系统深入地探讨了这一热点问题,全面介绍了品牌和名牌的演进历史、基本内涵、创立途径及如何保护发展等内容。行文时力求将论述的系统性、内容的可操作性、描述的生动性和阅读的趣味性相结合,各章中均注意引用国内外大量案例和

资料加以解释和说明。

107. 这段文字是:

A. 图书介绍

B. 问题讨论

C. 论文提要

D. 产品推荐

108. 作者重点探讨了什么问题?

A. 阅读技巧

B. 有名的商品

C. 历史问题

D. 经济犯罪

109～111

新疆阿勒泰地区的特大雪灾中,青河县一位名叫哈比多拉的牧民遇雪崩被埋,在雪中挣扎十几个小时后终于脱险。

今年 50 岁的哈比多拉说,雪崩发生时,他正骑在马上,当时只听轰的一声巨响,就感到天塌下来了。当他苏醒后,就拼命向外刨雪,幸亏身边有一颗松树,可透气,他才没被憋死。整整 16 个小时他一直不停地刨,皮手套磨破了,手刨烂了,浑身湿透了,也不敢停。他从雪堆中钻出时,周围没有人,他又不停地往前爬,三个小时后,他爬到一家牧民的房子前获救。后来他才知道他的马被雪压死了。

109. 雪崩发生后,这个牧民:

A. 被马压住了

B. 落在一棵松树上

C. 昏过去了

D. 不能呼吸

110. 这个牧民是怎么从雪堆中出来的?

A. 挖透雪堆钻出来的

B. 有人救他出来的

C. 雪堆倒塌后出来的

D. 马把他拉出来的

111. 这个牧民几个小时以后才获救？

A. 6 个

B. 10 个

C. 19 个

D. 16 个

112～114

3 月 27 日，一只国家二级保护动物海豹惨死在柳州公园动物园水池内。这是一星期内在这里发生的第二起海豹死亡事件。据介绍，这只 3 岁多、重 50 公斤的雄海豹当天凌晨约 4 时死亡。经解剖检查发现，海豹胃中有 10 多个塑料袋和石头、铁钉、牙签等杂物，分析是一些不讲文明的游人向海豹乱扔食品和其它杂物，使海豹胃部严重受伤，加上柳州市最近天气变化太大和最近失去一只同伴悲伤过度等原因，致使海豹死亡的。据了解，3 月 20 日，另一只雌海豹也是遭遇同样原因而死亡。令人痛心的是，这两只海豹在柳州度过 3 个月的展期即将返回上海，现在却只能"魂归故里"了。

112. 下面哪个不是海豹死亡的原因？

A. 天气不好

B. 误食杂物

C. 悲伤过度

D. 饲养不当

113. 从上文中可以看出：

A. 海豹本来要被送到上海去展出

B. 海豹并不是柳州动物园的

C. 海豹出生只有三个月

D. 柳州动物园准备从上海购进新海豹

114. 作者通过这条消息，

A. 批评不文明的游人

B. 说明海豹饲养很不容易

C. 批评动物园的不良管理

D. 讨论动物健康生长的条件

115～120

他 33 岁，她 30 岁。他们在同一个单位工作。

他们都厌倦了那些热心的红娘。红娘们救世主似的看着你，怜悯地"唉"几声，然后把你领到那些素不相识的人跟前，于是你就像待价而沽的一件什么玩意，任他们品头论足。他们先后去找电脑红娘，宁愿相信电脑也不愿相信人脑。电脑把他介绍给她，把她介绍给他。他们见了面，都一怔，想：怎么早先就没有想到呢？于是无需多言，他们挽住了对方的胳膊。

蜜月旅行回来，他们同时收到电脑红娘的信。他们有些不好意思，没有谢媒，人家倒先寄来贺信。打开信封，是两封一模一样的信：一月前，因电脑故障，预测有误……他们面面相觑，随即又相视一笑。

115. 他和她以前：

A. 是同学

B. 没见过面

C. 是恋人

D. 是同事

116. 他们俩：

A. 有一个共同的朋友

B. 都不喜欢议论别人

C. 都接触过不少红娘

D. 从来就不喜欢红娘

117. "红娘"是：

A. 女同事

B. 女领导

C. 导购小姐

D. 婚姻介绍人

118. 他们为什么要去找电脑红娘？
    A. 想找一个对象
    B. 想学习电脑
    C. 想找一份工作
    D. 想谈一笔生意

119. 通过电脑红娘，他们：
    A. 开始互相帮助
    B. 认识了
    C. 结了婚
    D. 有了联系

120. 电脑红娘给他们写信，
    A. 通知他们所售电脑有问题
    B. 怀疑他们提供的信息不真实
    C. 向他们祝贺
    D. 向他们道歉

120～125
　　中国目前正在进入老龄化国家的行列，因此，"银发住宅"市场将成为关注热点。从二十世纪八十年代开始实行的计划生育政策，使"四二一"成为未来中国家庭的基本结构，即一对夫妇抚养一个孩子并赡养四位老人。"银发住宅"的建设应从这一家庭结构出发，住宅设计既要考虑便于赡养老人，又要充分考虑现代人的生活特色，应该设计成既便于和子女团聚而又相对独立的新式住宅。目前，"银发住宅"主要有"老少居"和"老年公寓"两种形式。

　　"老少居"是指两代人或多代人既能同住在一处，又能各自独立生活的住宅。要"分得开，住得近"。这一住宅形式在市场上颇受消费者青睐。另外，虽然农村老人还有很强的"养儿防老"的传统观念，但城镇老人中正逐渐形成了一股愿意进"老年公寓"的热潮。据统计，在几个特大城市里，有近30%的老人愿住和子女彻底分开的"老年公寓"。"老年公寓"的修建应从老年人的需要出发，力

求方便、省力、安全。由于老年人行动不便，"老年公寓"应修建成平房或低层楼房；另外，从安全的角度出发，"老年公寓"不宜修在马路边，住宅门口要与马路有一定距离。

121. "四二一"的家庭结构说明在未来中国家庭中
    A. 孩子会增多
    B. 中年人责任很重
    C. 生活水平将提高
    D. "家长制"将加强

122. 文中没有直接指出但暗示了下面哪个观点？
    A. 老年公寓正成为消费热点
    B. 年轻人和老年人的关系将更加密切
    C. 中国正进入老龄化社会
    D. 现代人要求更多独立的生活空间

123. 根据短文，目前中国老人：
    A. 都愿意自己生活
    B. 少数人愿意和子女生活在一起
    C. 城镇老人和农村老人观念有所不同
    D. 多数人愿意住老年公寓

124. 关于老年公寓，下面哪一点不正确？
    A. 为了方便，应修在交通便利的马路边
    B. 公寓应该尽量避免楼层过高
    C. 应该尽量保证安全、方便
    D. 住宅门口要有活动的空间

125. 这篇文章的题目最可能是：
    A. 中国老年人口正在增加
    B. "银发住宅"渐成热点
    C. 中国未来的家庭结构
    D. "老年公寓"供不应求

126~130

据科学家分析,海水中有 3.25% 是被溶解了的固态物质。按海水的总体积为 13.6 亿立方公里、重量为 150 亿亿吨计算,如将所有的固态物质从中分离出来,其重量将达 5 亿亿吨,其中 3/4 是盐,其余的 1/4 就包罗万象了。

在 1/4 的固态物质中,有镁的化合物,足可提取 1900 万亿吨金属镁。但海洋里的镁是均匀分布在海水中的。目前,从 1 立方米的海水中最多可提取 1 公斤镁,在经济上是不合算的。有些国家掌握了先进的技术,正试行从海水中提取溴。溴这种元素,从海水里足可提取 100 亿吨,含量确实可观。过去要从 20 立方米海水中才能获得 1 公斤溴,如今采用新技术,科学家们已把海洋作为提取溴的主要基地了。海水中碘的含量总共只有 860 亿吨,要 2 万多立方米的海水,才能提取 1 公斤碘。无论现在和将来,从海水中提取碘都是极不经济的。

多方面的数据证实海水中含有黄金,不过总量仅有 1,000 万吨左右,而且要从 200 立方公里的海水中,才能捞到 1 公斤黄金,投入大大超过产出,迄今科学家们尚未打算从海水中提取黄金。但是,随着技术的进步,"海里捞金"的研究迟早会被提到日程上来。

126. "其余的 1/4 就包罗万象"的意思是:
　　A. 其余的物质利用价值很高
　　B. 其余的物质很难确定
　　C. 其余的物质种类很多
　　D. 其余的物质数量不大

127. 在 1/4 固态物质中,现在从海水中提取哪种物质最合算?
　　A. 溴
　　B. 碘
　　C. 镁
　　D. 盐

128. 在下列几种物质中,现在从海水中提取哪种最不合算?
　　A. 溴
　　B. 碘
　　C. 镁
　　D. 盐

129. 作者觉得海水中哪种物质含量低?
　　A. 黄金
　　B. 镁
　　C. 碘
　　D. 溴

130. 从海水中提取黄金,
　　A. 不可能实现
　　B. 十分不合算
　　C. 已开始研究
　　D. 有的国家已开始试验

# 四、综合填空

(40题,30分钟)

## 第一部分

说明:131~154题,每段文字中都有若干个空儿(空儿中标有题目序号),每个空儿右边都有
ABCD 四个词语,请根据上下文的意思选择惟一恰当的词语(在答卷上的字母上画一
横道)。

131~139

有一<u>131</u>时间,因为工作不顺心,
我的<u>132</u>十分低落。<u>133</u>,我每天尽量
把时间用到工作中<u>134</u>,还有空闲的
话,<u>135</u>步行回家。我问自己:父母在
贫困的日子里,只靠那点微薄的工资,
养育了我们兄妹五人,现在年老体弱,
仍是那样乐观勤奋地做着他们<u>136</u>份
平凡的工作,年轻的我,有什么理由如
此消沉?<u>137</u>,我拼命做家务,主动陪父
母聊天,用<u>138</u>最真诚的行动表达对
他们的敬意。慢慢地,我忘记了自己的
痛苦,心情渐渐开朗<u>139</u>了。那时,我
才真正体会到"忘我即是快乐"的含
义。

| 131. A. 段 | B. 会儿 | C. 次 | D. 回 |
| 132. A. 情况 | B. 情绪 | C. 气氛 | D. 性格 |
| 133. A. 本来 | B. 以后 | C. 以来 | D. 后来 |
| 134. A. 里 | B. 上 | C. 进 | D. 去 |
| 135. A. 就 | B. 那 | C. 而 | D. 以 |
| 136. A. 这 | B. 这些 | C. 那 | D. 那些 |
| 137. A. 那么 | B. 于是 | C. 总之 | D. 应该 |
| 138. A. 本身 | B. 自己 | C. 私自 | D. 本人 |
| 139. A. 下来 | B. 上来 | C. 起来 | D. 过来 |

140~146

远东国际大酒店是一家涉外旅游
饭店,现<u>140</u>有关专业人才:
一、人事部:
大学本科以上<u>141</u>,3年以上饭店
人事工作经验,中高级英语水平,<u>142</u>

| 140. A. 要求 | B. 请求 | C. 求人 | D. 招聘 |
| 141. A. 学历 | B. 知识 | C. 资格 | D. 学问 |
| 142. A. 知道 | B. 认识 | C. 熟悉 | D. 熟练 |

政府人事工作政策。

二、公司办公室：

大学法律专业毕业，中高级英语水平，文字和语言表达能力较143，年龄35岁以下，身体健康，144端正。

有意者请于145之日两周内将个人146、一寸近照寄到远东国际大酒店公司人事部。

143. A. 高　　B. 大　　C. 强　　D. 深
144. A. 特点　B. 样子　C. 五官　D. 面貌
145. A. 读报　B. 见报　C. 阅报　D. 念报
146. A. 经历　B. 体验　C. 遭遇　D. 简历

147～150

家庭的熏陶使王一平不知不觉迷147了文学。上中学时，王一平常常在课外148去复习功课而去读文学杂书。也是因为这个原因，他初中时功课149不好，只150毕业。

147. A. 上　　B. 进　　C. 入　　D. 到
148. A. 未　　B. 没　　C. 不　　D. 非
149. A. 却　　B. 并　　C. 也　　D. 倒
150. A. 几乎　B. 差不多　C. 勉强　D. 差点儿

150～154

我细细地品味151她的每一句话。那朴素平实的话语中寄托着一个农民的女儿152一片麦田的深厚感情，153寄托着一个乡村教师的美好154。

151. A. 了　　B. 着　　C. 一下　　D. 来着
152. A. 向　　B. 从　　C. 对　　D. 给
153. A. 也　　B. 再　　C. 而　　D. 却
154. A. 心情　B. 心愿　C. 心理　D. 心得

# 第二部分

说明：155～170题，每段话中都有若干个空儿（空儿中标有题目序号），请根据上下文的意思在答卷上的每一个空格中填写一个恰当的汉字。

155～156

李强在工作中知难而上，从不服输，自1991年以来，他查处了大量的虚假广告案155，查办成功率每年都大幅156提高。

157～159

对于日感出行难的北京人来说，交157是一个常说常新的话158。本文是作者在对北京道路管理状况考159了近一个月后，写下的几点感想。

160～165

我是一名大学二年级的学生,有一种现160令我一直百思不得其解:我周161的很多同学从二年级开始就为出国作准备,认为只有出国留学才能学到东西。与此同时,又有很多国家的学生不远万162到中国留学,为中国源远流长的文化传统和博大精深的人文精神所折服。于是,大家经常在一起围163着中国传统文化价值问题争论不休。一种看法认为,中国是一个有五千年文明史和三千年教育史的国家,具有丰厚的文化积淀,可学的东西很多。另一种看法认为,中国文化虽然历史164久,但缺乏实用性和操作性,一个人即使满腹经纶也没有多大价值。在争论中谁都不能说165谁。我们很困惑:怎样认识中国传统文化的价值?

166～167

今年19岁的八一队中锋王治郅是这个赛季最受关166的国内球员,因为在他2.12米的单薄身躯上寄167着中国篮球的未来。

168～170

第二届"雁栖之春"游园会将于3月30日至4月3日在雁栖湖举办。此届游园会内容丰168,每天上午将有专业文艺演出,同时还安排了民间文艺表169、风味小吃、土特产销售等活动。来雁栖湖可在宣武门、东四十条、东直门等处乘旅游车直170。

# 第三套听力理解文本

## 一、听力理解

### 第一部分

1. 明天是晓刚的生日,他请女朋友于丽和好朋友张华中来家里吃饭。
   问:谁没有被邀请?
   B

2. 和湖南菜相比,我更喜欢四川菜,因为我觉得它不像湖南菜那么辣。
   问:下面哪种说法正确?
   A

3. 要我说呀,您就来一件吧,这是我们新进的货,式样又新,颜色又鲜,穿上绝对新潮。
   问:说话人可能是做什么的?
   C

4. 节日期间皮鞋全部七折,我这双皮鞋才105。
   问:这双皮鞋原价是多少?
   D

5. 这本书写得真叫人倒胃口,不看了,吃饭去。
   问:这句话告诉我们什么?
   C

6. 李进最近常常头疼,他以为自己感冒了,可是医生说不是,说可能是因为考试太累引起的。
   问:李进怎么了?
   A

7. 为了学外语,小王买了收音机,小赵买了电视机,小宋买了录音机,小马买了电脑。
   问:小宋买了什么?
   D

8. 这辆车好是好,就是贵了点儿。

问:这句话是什么意思？

C

9. 幸亏带了雨伞,不然非淋成个落汤鸡不可。

   问:这句话告诉我们什么？

   A

10. 这个村子的粮食产量足有 5 万公斤。

    问:说话人觉得这个村子的粮食产量怎么样？

    C

11. 你最好早点儿回家,免得你太太担心。

    问:这句话是什么意思？

    C

12. 你这么说不是不行,话又说回来,他那么做好像也可以理解。

    问:说话人是什么态度？

    C

13. 他是他,你是你,你还是先谈谈自己的问题吧。

    问:这句话是什么意思？

    A

14. 这样的问题我都解决不了,更别说别人了。

    问:关于这个问题我们知道什么？

    B

15. 就是老王不在,我想我们也总不至于完不成任务吧。

    问:说话人是什么意思？

    B

## 第二部分

16. 女:春节回家了吗？

    男:没有,我去采访了一个演员、一个邮递员和几个在学校过年的大学生。

    问:男的是干什么的？

    A

17. 女:这套工具书我就缺下册,什么时候才能来啊？

男:这可真说不好,我们和出版社联系一下,给您打电话吧。

问:对话可能发生在什么地方?

C

18. 女:这把椅子漂亮是漂亮,可是背后有一个小洞。

男:这样吧,给您便宜50块钱,480怎么样?

问:椅子原来卖多少钱?

A

19. 女:从北京坐火车到广州得十个小时吧?

男:可不止。

问:男的是什么意思?

C

20. 女:请问,经理办公室是不是在这一层?

男:你找哪个经理的办公室?赵经理的办公室在17层,李经理的办公室在11层,张经理的
办公室就在楼下。

问:赵经理的办公室在哪一层?

D

21. 男:张云家简直不像人住的地方,像商店的橱窗。

女:是呀,她每天收拾无数次,什么都整整齐齐的,一点灰尘都见不到。

问:张云家有什么特点?

C

22. 女:既然上海的汽车比北京便宜,为什么我们不去上海买呢?

男:便宜?还不都一样!

问:男的是什么意思?

C

23. 女:晓丽说她要离婚了,你知道吗?

男:你听她说吧,哪会真离?

问:男的是什么意思?

D

24. 女:老李又把车停在咱们店门口了。

男:真是的!

问:男的是什么态度?

D

25. 女:哎,你把酱油放进去以后再放盐,试试怎么样。
    男:我知道,我这不是正看着书嘛?
    问:他们俩在做什么?
    D

26. 女:这本古汉语书的头十课不太难。
    男:可后十课可太难了。
    问:从对话中我们可以知道什么?
    D

27. 男:你看起来很没精神,怎么了?
    女:昨天晚上我们邻居家吵架,我怎么都睡不着。今天起来一照镜子,眼圈都黑了。
    问:女的怎么了?
    D

28. 女:你的《英汉词典》用不用? 我想帮玛丽翻译一篇文章。
    男:是不是她看了电影以后写的体会?
    问:女的打算干什么?
    C

29. 女:王飞要我嫁给他,他说要爱我一辈子。
    男:男的结婚前说的话,鬼才信呢。
    问:男的是什么意思?
    C

30. 男:我知道今年流行短头发,可是我觉得你梳长头发挺好看的呀。
    女:可能是挺好看的。可是夏天太热,家里虽然安了空调,我还是觉得脖子这儿挺不舒服的。
    问:从对话中我们可以知道什么?
    A

31. 男:你看这件镶金边的连衣裙怎么样?
    女:我嫌它样子太时髦,颜色倒还不错。
    问:女的觉得连衣裙怎么样?
    C

32. 女:"五·一"有什么打算?
    男:从北京出发,去南京,然后到苏州、杭州,最后从上海回北京。

96

问:男的"五·一"去什么地方?

　　D


33. 女:我都准备好了,现在我们走吧。

　　男:走,都几点了?!

　　问:男的是什么意思?

　　D


34. 女:我喜欢这个样子,不过这儿最好做短点儿。

　　男:这个样子挺适合你的身材的。来,我给你量一下儿。

　　问:两个说话人可能是什么关系?

　　C


35. 女:这种花挺好看的,可是我每次买回去,两天就干了。

　　男:你把它放在荫凉的地方,再往水里加一勺白砂糖就行了。

　　问:对话可能发生在什么地方?

　　A


# 第三部分


36 到 39 题是根据下面一段话:

　　4 月 29 日上午 10 点 48 分,由昆明开往郑州的 325 次列车经过京广线岳阳县荣家湾火车站时,与停在 4 车道的长沙开往临湘市茶岭的 818 次客车追尾冲撞,两列客车共有 13 节车厢被撞翻。到 29 日晚 10 点,死亡人数已达 90 人,另有 90 多人重伤。事故发生后,当地调集 1100 多名公安干警和武警官兵投入救援和维护治安工作,并调集了大批医务人员。据悉,此次事故未影响京广线畅通。事故原因正在调查中。

36. 这场事故发生在哪儿?

　　D

37. 这场事故发生在什么时候?

　　B

38. 到目前为止已伤亡多少人?

　　D

39. 事故的主要原因是什么?

　　D


40 到 42 题是根据下面一段话:

男:是王芳吧?我是李建明,今天上课没看见你,怎么了?

女:别提了,这两天晚上我老睡不着觉;睡着以后,也休息不好,老梦见上课没带书,要不就是考试迟到什么的。白天没办法学习,老觉得头疼。

男:是不是感冒了?最近感冒的人挺多的。

女:可是也不发烧,也不咳嗽。去了趟医院,医生说没什么事。后来听说我正在写毕业论文,他说可能是压力太大,精神太紧张引起的。

男:唉,你前一段太玩命了,赶紧好好歇歇吧。

女:这不,你打来电话的时候,我正睡觉呢。

男:你接着睡吧,有时间我去你家看你。

女:好,谢谢你,再见。

40. 这两个人的谈话是在什么地方进行的?

    A

41. 王芳有什么问题?

    D

42. 王芳的问题是怎么引起的?

    B


43 到 45 题是根据下面一段话:

许多情绪会引起哭,但头号原因是悲伤,其次是兴奋、愤怒、同情、焦虑和恐惧。人们对哭习以为常,但在科学家看来,哭如同睡眠一样,仍然非常神秘。

科学家对成年人的哭作了独创性的研究。他们分析了两种泪:一种是受洋葱气味刺激流下的;一种是因情绪激动而流下的,结果发现两者所含的化学成分不同。伤心的泪水里含有两种神经传导物质,它们分别与人的紧张情绪和体内痛感的麻痹有关,泪水能将这些物质排出体外,起到缓和紧张情绪的作用。而受洋葱气味刺激流下的眼泪中,则不包含这两种物质。85% 的妇女和 73% 的男人说他们哭了以后,感到心情好受些。大多数的哭发生在晚上 7 点到 10 点,在这段时间里人们多与亲人朋友聚会在一起或者看电影。上述供研究用的伤心泪,就是从一些看悲剧电影的志愿受试者那里收集来的。

43、关于哭,下面哪句话不正确?

    B

44. 关于眼泪,下面哪句话不正确?

    A

45. 人们常在什么时候哭?

    C


46 到 47 题是根据下面一段话:

男:余莉,新出版的《汉英词典》你买了吗?

女:买了,真不错。新版比旧版好多了,新词多了,词义解释得也更清楚了,旧例句换成了新的,一些现在不用的词也都去掉了。

男:是吗?我可仔细看了,我倒不觉得这个新版有多新。至于说解释,也好像没什么大的变化,有的错误还没改过来。

女：真的吗？我可没发现。专家们对这本书评价挺高，说这本词典花了十年的时间修改，下了大功夫了。都说这第四版改动最大。

男：第四版？我买的不是第四版呀。我说的是《大学汉英词典》，你说的不是吗？

女：唉呀，说的不是一码事。我说的是《新时代汉英词典》。

46. 女的喜欢新版的《汉英词典》，没提到下面哪个原因？

　　D

47. 两人的态度为什么不一样？

　　A


48到50题是根据下面一段话：

　　"第十五届北京特价书市"开幕后，火爆京城，仅4月30日至5月4日五天内就有20万人次光顾，每天购书人数超过往年书市的三倍，日销售额达200万元。

　　这届书市与往届相比有三方面的突破：一是购书人数有突破。平均每天有5～6万人购书，且购书者主要来自工薪阶层家庭，而以往购书的主体——大学生人数减少。二是销售额有所突破。本届特价书市有16万种图书以1至9折出售，满足了工薪阶层需要。三是科技书销售有所突破。凡是经营电脑操作、程序编排书刊的书摊都火爆，北京电子书店日销售额达5万元。

　　本届特价书市还反映出三个升温三个降温。即武侠小说降温，电脑书刊升温；言情小说降温，名家名著升温；复习、练习降温，精品书籍升温。

48. 这届书市与往届相比的突破方面，下面哪一点没有提到？

　　B

49. 这次购书的读者主要是什么人？

　　B

50. 今年书市中，下面哪一类书不是热门书？

　　B

# 第三套标准答案

## 一、听力理解

### 第一部分

1. B  2. A  3. C  4. D  5. C  6. A  7. D  8. C  9. A  10. C  11. C  12. C  13. A  14. B  15. B

### 第二部分

16. A  17. C  18. A  19. C  20. D  21. C  22. C  23. D  24. D  25. D  26. D  27. D  28. C  29. C  30. A  31. C  32. D  33. D  34. C  35. A

### 第三部分

36. D  37. B  38. D  39. D  40. A  41. D  42. B  43. B  44. A  45. C  46. D  47. A  48. B  49. B  50. B

## 二、语法结构

### 第一部分

51. A  52. B  53. C  54. C  55. D  56. C  57. B  58. B  59. D  60. B

### 第二部分

61. B  62. A  63. B  64. C  65. D  66. C  67. A  68. C  69. B  70. B  71. C  72. D  73. C  74. B  75. A  76. D  77. C  78. D  79. B  80. A

## 三、阅读理解

### 第一部分

81. A  82. D  83. B  84. B  85. B  86. A  87. B  88. B  89. B  90. A  91. B  92. D
93. B  94. A  95. D  96. D  97. C  98. B  99. B  100. D

## 第二部分

101. D  102. D  103. C  104. C  105. B  106. D  107. A  108. B  109. C  110. A  111. C
112. D  113. B  114. A  115. D  116. C  117. D  118. A  119. C  120. D  121. B  122. D
123. C  124. A  125. B  126. C  127. A  128. B  129. A  130. B

# 四、综合填空

## 第一部分

131. A  132. B  133. D  134. D  135. A  136. C  137. B  138. B  139. C  140. D  141. A
142. C  143. C  144. C  145. B  146. D  147. A  148. C  149. B  150. C  151. B  152. C
153. A  154. B

## 第二部分

155. 件  156. 度  157. 通  158. 题  159. 察  160. 象  161. 围  162. 里  163. 绕
164. 悠  165. 服  166. 注  167. 托  168. 富  169. 演  170. 达

# 模拟试卷（四）

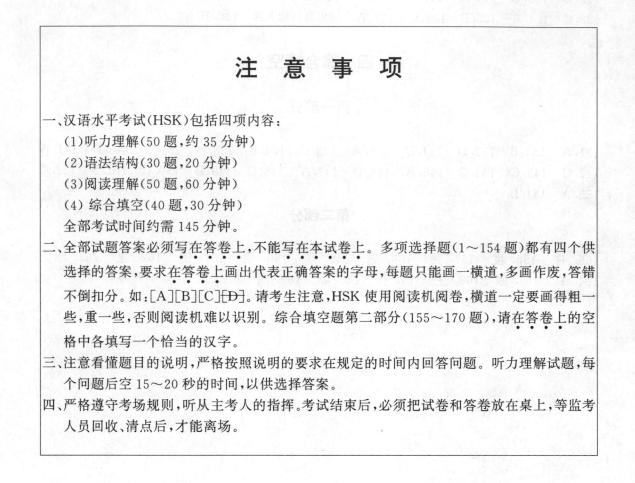

## 注　意　事　项

一、汉语水平考试(HSK)包括四项内容：
　　(1)听力理解(50 题,约 35 分钟)
　　(2)语法结构(30 题,20 分钟)
　　(3)阅读理解(50 题,60 分钟)
　　(4) 综合填空(40 题,30 分钟)
　　全部考试时间约需 145 分钟。

二、全部试题答案必须写在答卷上,不能写在本试卷上。多项选择题(1～154 题)都有四个供选择的答案,要求在答卷上画出代表正确答案的字母,每题只能画一横道,多画作废,答错不倒扣分。如:[A][B][C][Ð]。请考生注意,HSK 使用阅读机阅卷,横道一定要画得粗一些,重一些,否则阅读机难以识别。综合填空题第二部分(155～170 题),请在答卷上的空格中各填写一个恰当的汉字。

三、注意看懂题目的说明,严格按照说明的要求在规定的时间内回答问题。听力理解试题,每个问题后空 15～20 秒的时间,以供选择答案。

四、严格遵守考场规则,听从主考人的指挥。考试结束后,必须把试卷和答卷放在桌上,等监考人员回收、清点后,才能离场。

# 一、听力理解

(50题,约35分钟)

## 第一部分

说明:1~15题,这部分试题,都是一个人说   句话,第二个人根据这句话提一个问题,请你在
四个书面答案中选择惟一恰当的答案。

例如:第8题,你听到:

第一个人说:……

第二个人问:……

你在试卷上看到四个答案:

A. 七点十分   B. 七点   C. 十点七分   D. 六点五十

第8题惟一恰当的答案是D,你应在答卷上找到号码8,在字母D上画一横道。横道一
定要画得粗一些,重一些。

8.[A]   [B]   [C]   [D]

1. A. 买礼物
   B. 做衣服
   C. 去建华家
   D. 参加婚礼

2. A. 在杂货店买东西
   B. 在表演杂技
   C. 在厨房做饭
   D. 在教人做菜

3. A. 这个方案还可以
   B. 这个方案并不好
   C. 没有比这个方案更好的了
   D. 这个方案可能通不过

4. A. 坏了很长时间了
   B. 经常坏
   C. 太旧了
   D. 有点儿发霉了

5. A. 书架
   B. 书桌
   C. 餐桌
   D. 电脑桌

6. A. 两国将要发生战争
   B. 两国将发展服装贸易
   C. 两国有合作的可能
   D. 两国可以通过和平方式解决问题

7. A. 我不愿意说他干得很差
   B. 我没说过他干得很差
   C. 他干得很差,我要批评他
   D. 他干得很差,但我不能批评他

8. A. 他很喜欢大饭店和大酒楼
   B. 他很喜欢上街
   C. 他很喜欢小饭馆
   D. 他觉得在饭馆吃饭很便宜

9. A. 邮局
   B. 火车站
   C. 百货大楼
   D. 银行

10. A. 质量很差,不配叫名牌
    B. 质量很好,不愧是名牌
    C. 质量很差,不是名牌
    D. 质量很好,应该叫名牌

11. A. 建议
    B. 赞赏
    C. 反对
    D. 犹豫

12. A. 这个老店比谁都更看重声誉
    B. 除了这个老店,这儿没有人看重声誉
    C. 这个老店里没有人看重声誉
    D. 谁都比这个老店看重声誉

13. A. 10万斤
    B. 15万斤
    C. 20万斤
    D. 25万斤

14. A. 拿错书了
    B. 走错教室了
    C. 迟到了
    D. 换老师了

15. A. 飞机场
    B. 火车站
    C. 火车上
    D. 码头

## 第二部分

说明:16～35题,这部分试题,都是两个人的简短对话,第三个人根据对话提出 一个问题,请
你在四个书面答案中选择惟一恰当的答案。

例如:第22题,你听到.

22. 第一个人说:……

第二个人说:……

第三个人问:……

你在试卷上看到四个答案:

A. 睡觉    B. 学习    C. 看病    D. 吃饭

第22题惟一恰当的答案是C,你应在答卷上找到号码22,在字母C上画一横道。横道
一定要画得粗一些,重一些。

22.[A]  [B]  [C]  [D]

16. A. 女的问是不是事情已经做完了
    B. 男的要做这件事
    C. 男的愿意承担责任
    D. 女的并不担心

17. A. 车站订票处
    B. 公园
    C. 旅行社
    D. 银行

18. A. 6:30
    B. 7:00
    C. 7:30
    D. 8:00

19. A. 玛丽向女的问好
    B. 玛丽向女的告别

C. 玛丽以前学过汉语
D. 玛丽的汉语没有进步

20. A. 自己错了
    B. 她原谅了男的
    C. 责怪男的
    D. 男的没做错

21. A. 想知道应该看什么
    B. 他对深圳不感兴趣
    C. 深圳的建筑很漂亮
    D. 他已经去过深圳了

22. A. 不相信鸡蛋要涨价
    B. 同意女的说的
    C. 这几天总是下雨
    D. 今天可能要晚一点回来

23. A. 老沈身体不好
    B. 老沈人不好
    C. 老沈不要紧
    D. 他不太清楚

24. A. 参观多长时间
    B. 开会的时间
    C. 谁参加会议
    D. 什么时候去农村

25. A. 女的忘了让男的赶火车
    B. 男的误了车
    C. 男的没钱买车票
    D. 男的赶上了火车

26. A. 记者中男的比较多
    B. 很多有能力的人都当了记者
    C. 记者收入很高,房子很漂亮
    D. 当记者很辛苦

27. A. 寄信
    B. 买菜
    C. 买油
    D. 看小李

28. A. 女的担心影响别人
    B. 男的的儿子要考试
    C. 男的要女的坚持练习
    D. 男的要女的不要生气

29. A. 给她拿一些水
    B. 给她买一些花
    C. 替她照顾植物
    D. 替她找一下猫

30. A. 新年马上要来了
    B. 我们应该看看离新年还有几天
    C. 他看过了新年的礼物
    D. 我们能在中国过新年了

31. A. 张华在敲门
    B. 不可能是李明和张华
    C. 李明和张华来了
    D. 是李明或者张华

32. A. 恋人
    B. 夫妻
    C. 邻居
    D. 同事

33. A. 宿舍里
    B. 商店里
    C. 学校里
    D. 冷饮店

34. A. 今天天气很冷
    B. 今年夏天下了很多雨
    C. 现在和夏天一样热
    D. 男的很喜欢夏天

35. A. 杭州
    B. 天津
    C. 上海
    D. 上海和杭州

## 第三部分

36. A. 医院
    B. 眼镜店
    C. 109路车站
    D. 大学

37. A. 她急着要走
    B. 她觉得男的很奇怪
    C. 她很乐意帮助男的
    D. 她不熟悉这个城市

38. A. 找眼镜
    B. 坐电车
    C. 买地图
    D. 往东走

39. A. 家庭教育对孩子很重要
    B. 考试以前学生应该休息
    C. 看电视会影响考试成绩
    D. 考试前不要给孩子太多压力

40. A. 多和孩子谈话
    B. 创造一个轻松的环境
    C. 不开电视
    D. 不大声说话

41. A. 没有安静的环境
    B. 父母过于紧张
    C. 父母不断和他们谈话
    D. 不让他们看电视

42. A. 男的先看的是机械钟
    B. 石英钟和机械钟各有优缺点
    C. 石英钟没有机械钟贵
    D. 机械钟也很准时

43. A. 师傅和徒弟
    B. 经理和职员
    C. 服务员和顾客
    D. 售货员和顾客

44. A. 女的不太喜欢石英钟
    B. 男的更喜欢机械钟
    C. 男的不许女的卖不准的钟
    D. 男的对价格高低很在意

45. A. 介绍伊朗的一部获奖影片
    B. 法国戛纳电影节的盛况
    C. 伊朗电影的发展概况及特点

D. 伊朗的电影艺术家介绍

46. A. 四十年代
    B. 七十年代
    C. 八十年代
    D. 九十年代

47. A. 艺术水准一直较高
    B. 注重艺术形式的探索
    C. 坚持反映普通人的生活
    D. 产量较低

48. A. 他花了很多钱买到的
    B. 他从一本书里剪下来的
    C. 他花了很少一点钱买到的
    D. 他用一盒烟跟摊主换来的

49. A. 他看出来作者很喜欢潘素的画
    B. 因为潘素的画卖得很便宜
    C. 因为潘素的画很难买到
    D. 因为潘素的画是真的

50. A. 因为那些画都是假的
    B. 因为那些画的水平也差不多
    C. 因为那些画也很有价值
    D. 因为所有的画都是潘素的作品

# 二、语法结构

（30题，20分钟）

## 第一部分

说明：51～60题，在每一个句子下面都有一个指定词语，句中 ABCD 是供选择的四个不同位
置，请判断这一词语放在句子中哪个位置上恰当。

例如：

55. 我们 A 一起 B 去上海 C 旅游 D 过。

        没有

"没有"只有放在句中 A 的位置上，使全句变为"我们没有一起去上海旅游过"，才合乎
语法。所以第 55 题惟一恰当的答案是 A，你应在答卷上找到号码 55，在字母 A 上画一
横道。横道一定要画得粗一些，重一些。

55. [A]　[B]　[C]　[D]

---

51. A. 他这些天非常忙，B 整天写呀写的，
C 说 D 一句话都怕耽误工夫。

       连

52. 这次我 A 要在北京 B 住上 C 几个 D
月。

       多

53. 小男孩来 A 到 B 学校以后不调皮了，
一直 C 跟 D 妈妈的身后。

       在

54. 这是留学生 A 办公室派来 B 接我们 C
张老师 D。

       的

55. 你最好再斟酌一下，A 考虑 B 会 C 出 D
问题的。

       不足

56. A 这几年 B 我 C 翻译了 D 三本鲁迅先
生的著作。

       先后

57. 他的事你问我 A，B 我 C 知道 D？

       哪里

58. 应聘时，最好不要 A 携带 B 女友 C 或
D 家长陪同。

       由

59. 你们 A 看 B 几点了，还在 C 看电视，还 D 写不写作业了？
　　　　　都

60. A 我的话还没说完，B 他就一 C 将 D 我 推出了房门。
　　　　　把

## 第二部分

说明：61～80题，每个句子中有一个或两个空儿，请在ABCD四个答案中选择惟一恰当的填上（在答卷上的字母上画一横道）。

例如：

67. 我昨天买了一＿＿＿＿＿＿钢笔。

A. 件　B. 块　C. 支　D. 条

　　我们只能说："我昨天买了一支钢笔"，所以第67题惟一恰当的答案是C，你应在答卷上找到号码67，在字母C上画一横道。横道一定要画得粗一些，重一些。

　　67.[A]　[B]　[C]　[D]

61. 我写论文需要的材料就在这＿＿＿＿＿＿ 杂志上。

A. 本
B. 张
C. 篇
D. 套

62. 童年时父母婚姻的破裂＿＿＿＿＿＿他 的性格有很大的影响。

A. 给
B. 对
C. 向
D. 受

63. 这个问题＿＿＿＿＿＿不妥善解决，＿＿＿＿＿＿ 后果不堪设想。

A. 如果……就……
B. 既然……就……
C. 若……则……
D. 不但……而且……

64. 再见吧，希望你以后有机会＿＿＿＿＿来我 们牧场作客。

A. 重
B. 再
C. 另
D. 又

65. 听＿＿＿＿＿＿你的声音很沙哑，是不是 感冒了？

A. 出来
B. 起来
C. 上来

D. 过来

B. 了

C. 一

D. 是

66. 现在我告诉你，＿＿＿＿＿＿。

A. 我是你的意见接受的不能

B. 你的意见是不能我接受的

C. 你的意见是我的不能接受

D. 你的意见我是不能接受的

67. 我们应该本着相互平等、相互＿＿＿＿的
原则发展两国关系。

A. 信赖

B. 信用

C. 感动

D. 遵守

68. 登上司马台长城，我们累极了，＿＿＿＿＿＿
大家心里都充满了自豪感。

A. 却

B. 可

C. 所以

D. 于是

69. 洗了一个下午的衣服以后，小王觉得
＿＿＿＿＿＿＿了。

A. 累一点

B. 一点累

C. 有点累

D. 累有点

70. 不管怎么样，＿＿＿＿＿＿＿你们要按期完
成任务。

A. 毕竟

B. 到底

C. 反正

D. 只得

71. 这种家具便宜＿＿＿＿＿＿＿便宜，可是已
经过时了。

A. 不

72. 以前我＿＿＿＿＿＿看过这方面的书，这
次是因为做论文的需要才开始看的。

A. 没曾

B. 不曾

C. 不曾经

D. 没有曾

73. 中国国土辽阔，各地的风俗习惯有很大
的不同。拿饮食来说，北方人喜欢吃面
食，南方人＿＿＿＿＿＿＿喜欢吃米饭。

A. 则

B. 倒

C. 可

D. 而

74. 在我的后院有两棵树，一棵是枣树，
＿＿＿＿＿＿＿一棵还是枣树。

A. 另

B. 别的

C. 又

D. 再

75. 我＿＿＿＿＿＿一晚上不睡觉，＿＿＿＿＿＿要
写完这篇文章。

A. 连……也……

B. 即使……也……

C. 无论……也……

D. 虽然……也……

76. 对这个重要的问题，有关部门准备进行
＿＿＿＿＿＿＿。

A. 深入研究

B. 深入研究研究

C. 深入研究一下

D. 深入研究下去

77. 这里一点污染都没有，空气多新鲜_____！

　　A. 了

　　B. 啊

　　C. 呢

　　D. 嘛

78. 中央关于国有企业改革的方案，目前才_____开始实施。

　　A. 刚才

　　B. 刚刚

　　C. 立刻

　　D. 就要

79. _____，这次见面真有说不完的话。

　　A. 我们已经没见面十年了

　　B. 我们十年已经没见面了

　　C. 我们已经十年没见面了

　　D. 我们没见面已经十年了

80. 我_____，他还是不许我们把字典拿走。

　　A. 左右说说

　　B. 左说右说

　　C. 右说左说

　　D. 说左说右

# 三、阅读理解

(50题,60分钟)

## 第一部分

说明:81～100题,每个句子中都有一个划线的词语,ABCD 四个答案是对这一划线的词语的不同解释,请选择最接近该词语的一种解释(在答卷上的字母上画一横道)。

81. 这件事我办得一点都<u>不顺手</u>。
   A. 很多手续
   B. 很不顺利
   C. 不太麻烦
   D. 比较随便

82. 你要我帮你<u>打</u>行李吗?
   A. 拿
   B. 捆
   C. 抬
   D. 取

83. 那篇文章我早想好了,就是<u>懒得</u>动笔。
   A. 不愿意
   B. 懒惰
   C. 很难
   D. 讨厌

84. 一想起自己的<u>遭遇</u>,她就忍不住哭了起来。
   A. 困难
   B. 经历

C. 处境
D. 恋爱

85. 她很<u>善于</u>做学生的思想工作。
   A. 会
   B. 好
   C. 好心
   D. 喜欢

86. 你们怎么能在这儿野餐,万一失火可不是<u>闹着玩儿</u>的。
   A. 玩耍
   B. 打闹
   C. 开玩笑
   D. 有意思

87. 昨天的足球赛爆了个<u>冷门</u>,辽宁队和四川队 0∶0 踢成了平局。
   A. 出现意外
   B. 没有进球
   C. 观众很少
   D. 没有意思

113

88. 你在这儿<u>守</u>着行李,我去咨询处问一下。
    A. 拿
    B. 等
    C. 坐
    D. 看

89. 他<u>担任</u>这个单位的领导已经十多年了。
    A. 当
    B. 找
    C. 管
    D. 挑

90. 据专家<u>估计</u>,外国企业在五年之内就会全面进入中国电脑市场。
    A. 肯定
    B. 推测
    C. 统计
    D. 分析

91. 我从来没有见过像你这么<u>糊涂</u>的人。
    A. 不细心
    B. 不发火
    C. 不诚实
    D. 不耐心

92. 今年《科学》杂志<u>陆续</u>发表了他的几篇论文。
    A. 先后
    B. 接连不断
    C. 继续
    D. 普遍

93. 细细<u>琢磨</u>,他好像话里还有话。
    A. 讨论
    B. 考虑
    C. 了解
    D. 调查

94. 听说<u>新娘</u>今年博士刚毕业。
    A. 继母
    B. 女儿
    C. 新来的女孩子
    D. 刚结婚的女性

95. 我们俩认识完全<u>出于</u>偶然,我到图书馆借书,她正好在图书馆实习。
    A. 导致
    B. 因为
    C. 产生
    D. 外出

96. 考古学家们指出,只根据这两件文物就做出的结论肯定是<u>片面</u>的。
    A. 虚假
    B. 不全面
    C. 惟一
    D. 单独

97. 我们现在的<u>一切</u>工作必须围绕着经济建设这个中心进行。
    A. 一些
    B. 所有
    C. 重要
    D. 切实

98. 没想到这个计划在这里居然已经<u>公开</u>了。
    A. 很快完成
    B. 不再秘密
    C. 开始工作
    D. 认真执行

99. 瞧这<u>小伙子</u>身体有多棒!
    A. 青年男子
    B. 小男孩
    C. 一群人
    D. 儿子

100. 有你那两下子,我不用别人帮也能把
房子修好。
　　A. 两个儿子
　　B. 经历

C. 工具
D. 本领

# 第二部分

说明:101~130 题,每段文字后都有若干个问题,每个问题都有 ABCD 四个答案,请快速阅读
　　并根据它的内容选择惟一恰当的答案(在答卷上的字母上画一横道)。

101~102

　　于庆成是一位农民出身的泥塑艺术家,在蓟县的土地上生活了五十多年。他的作品土里土气,土头土脑,但却土得可爱,土到了家。你能从他的朴实淳厚中感受到智慧与诙谐,感受到热情与真诚,感受到对生活与美的追求。

101. 于庆成现在是:
　　A. 作家
　　B. 农民
　　C. 艺术家
　　D. 教授

102. 关于于庆成的作品,下面哪个不正确?
　　A. 是描写土地的
　　B. 非常有乡土气息
　　C. 有幽默色彩
　　D. 是用泥做的

103~105

　　我们有过这样的体会,一个人做事和有许多人在场时做事不太一样。也许平时你和朋友闲聊时轻松自如、口若悬河,但让你当众讲演时,即使你事先做了充分准备,可一上台,口齿还是会变得不那么伶俐,表情也变得不那么自然起来,有时甚至会手足无措,汗流浃背。

　　这是怎么回事呢?社会心理学家做过这样一个实验:被试者或单独一人,或几人一起学习单字配对表。配对的单字有两类,一类由同义单字组成,学起来容易;另一类由没有任何联系意义的单字组成,学起来比较困难。结果,被试者学习简单的配对单字时,有他人在场比单独一人时学习效果好;学习有困难的配对单字时则相反,独自一人学习比有他人在场成绩更好。

　　这告诉我们,在有他人旁观或参与的情况下,个人工作效率的提高或降低,取决于工作的性质,对于简单熟练的工作能提高效率,复杂生疏的工作则会降低效率。这是因为如果工作是简单而熟悉的,有人在场时所激发的竞争动机比外来干扰而引起的注意力转移更具影响力。但如果工作是复杂而陌

生的,人的心理压力较大,情绪紧张,竞争增强和外来干扰都会使人焦虑程度增加,从而影响工作效率的提高。所以,如果你是一位厂长,多到生产第一线走走效果一定不错,而像实验室之类的技术研究区还是不常视察为好。

103. 这段文字主要谈的是:
 A. 他人在场对人心理和行为的影响
 B. 演讲时怎么才能不感到紧张
 C. 学习与分组之间有什么关系
 D. 工厂如何提高工作效率

104. 配对单字实验结果说明什么?
 A. 简单的工作容易提高效率
 B. 复杂的学习应该单独进行
 C. 同义词配对记忆比较容易
 D. 复杂的学习可以集体进行

105. 为什么厂长常到实验室视察不好?
 A. 那里的工作易受影响
 B. 那里的人讨厌别人在场
 C. 那里的竞争太激烈
 D. 那里的人常有心理疾病

106~107
 中国的离婚率正在上升,这虽然说明现代人思想观念发生了变化,更加崇尚爱情,重视婚姻的质量,但我们也不能不正视问题的另一个方面,那就是有的人不把婚姻当回事,对婚姻和家庭缺乏责任感。有人离婚是因为有了钱、有了权、有了名望;有人婚前是情真意切,婚后便不再注意感情的培养、维护;有人离婚不是因为不爱,只是气量太小,对方有了过失便不问情由,不论是非,不依不饶。凡此种种,婚姻大事成了小事,成了可以随便进行的游戏。

106. 作者认为离婚率上升

A. 是金钱对爱情的冲击
B. 是社会退步的表现
C. 是婚姻比以前重要的体现
D. 应该从正反两个方面看

107. 作者的口气是:
 A. 欣喜的
 B. 批评的
 C. 充满希望的
 D. 失望的

108~110
 一些专家在21年里对5700人进行了研究,结果发现体力劳动者比非体力劳动者死于心脏病的概率高出70%,原因是他们更容易染上吸烟的恶习,从而患上高血压和抑郁症。研究同时还发现,公务员在工作中如果没有发言权,则容易患冠心病,低级别的公务员死于冠心病的危险性比高级别的高出两倍。研究还表明,工作强度大的知识分子也容易生病,他们更容易患上脑血管疾病。

108. 这段文字主要谈的是:
 A. 体力劳动者的健康令人担忧
 B. 不良习惯有害于健康
 C. 疾病与职业有一定的关系
 D. 情绪与健康有密切关系

109. 下面哪句话是正确的?
 A. 体力劳动者比较容易得高血压
 B. 体力劳动者不容易心情压抑
 C. 脑力劳动者更容易得心脏病
 D. 工人比脑力劳动者的发病率高

110. 根据这段文字,降低公务员冠心病发病率的最好办法是:
 A. 禁止吸烟
 B. 给他们发表意见的机会

116

C. 减轻他们的工作强度
D. 提拔低级别职员

111～114

德国人不喜欢吃法国苹果,据说是因为法国苹果生长期和日照时间不符合环保生态标准,吃了对健康不利。尽管它的外观很漂亮,价钱也很便宜,但就是很少有人问津。据说荷兰的西红柿和黄瓜,也由于相同的原因而销路不佳。在我看来,德国人对"食品安全"的重视程度未免有些过分,其实荷兰与法国都属于世界上生态农业发展最快的国家之列。所谓"生态农业"就是利用自然条件,使用天然方法杀虫,用多样有机肥料种植农作物,不施化肥,不喷杀虫剂,由此而生产出接近天然植物的农产品。这种耕作方式被认为是 21 世纪农业的大势所趋,由此而生产出的有机食品将要在 21 世纪唱主角。

111. 下面哪句话是对的?
A. 法国苹果因为不符合生态标准所以很便宜
B. 荷兰的西红柿和黄瓜很受欢迎
C. 法国苹果虽然外表好看,可是味道不佳
D. 荷兰的西红柿与法国苹果在德国遇到了同样的问题

112. 作者认为德国人对"食品安全"的重视:
A. 很奇怪
B. 有些过分
C. 很有眼光
D. 很有道理

113. 作者认为有机食品
A. 已有了巨大的发展
B. 在德国发展最快
C. 在未来极有前途

D. 只有少数人喜欢

114. 生态农业最重要的特点是什么?
A. 尽量接近自然条件
B. 不人工杀虫
C. 不人工施肥
D. 用多种方法种植

115～120

落叶飘飞的季节,医院里来了两个年轻的重病人,小张和小李。医院决定对这两个病人进行会诊。会诊前,小张的家属叮嘱医生说,如果是绝症,千万不要把真情告诉病人;小李对医生说,不管病情如何,只管如实告诉他,但不必对别人讲。

会诊结果,两人都患绝症,小张还有半年的生命,小李最多可活三个月。医生遵嘱把诊断结果分别告诉了小张的家属和小李。

顿时,小张的病房来探望的人剧增。来客尽说些好听的话,病人的思想负担却越来越重。

小李得到消息后静静地躺在病床上,望着窗外的落叶,想起再也看不到花开之日,他真有点伤心。可是,就这样躺着吗?他想起了文学,便拿起笔,写了篇文章,参加三个月后揭晓的一个征文比赛。

等了两个月,发现又有一家刊物在搞征文,是半年以后揭晓。他憋足一股劲,又写了一篇寄了出去。

三个月后,能活半年的小张死了,只能活三个月的小李竟还活着。第一次寄出的征文没有音讯,他并没有失望,心里只挂念着半年后揭晓的征文。

他满怀信心地等待着。过了年,终于传来喜讯,他的征文获了奖。他很兴奋,很满足,挂着笑容去了。

窗外,树上绽满花苞,快要开了……

115. 根据文章内容,下面哪句话是正确的?

117

A. 小李是一个很有勇气的人
B. 小张不想知道自己的病情
C. 小张的家属不知道病情
D. 小李的家属先知道了病情

116. 病情确诊之后，小张和小李的情况怎么样？
A. 小李觉得很孤独
B. 小张觉得很温暖
C. 小李并没有绝望
D. 小张不想再活下去

117. 小李很可能是一个：
A. 编辑
B. 记者
C. 文学爱好者
D. 运动员

118. 小李的哪篇征文获奖了？
A. 第一篇
B. 第二篇
C. 都获奖了
D. 都没获奖

119. 小李是什么时候获奖的？
A. 春天
B. 夏天
C. 秋天
D. 冬天

120. 这篇文章主要想告诉我们什么？
A. 只要努力，最后一定能成功
B. 应该把病情告诉患者本人
C. 精神的力量在人生命中很重要
D. 医生的诊断目前还常常出错

121～124
　　随着中国有线电视频道的普及，不少地方的观众开始对这一付费频道播出广告不满。虽然按照国际电视业惯例，有线付费电视是不应再经营广告的，但几乎所有有线台都大播特播广告。

　　有线电视用户是要交安装与收视费的，这意味着，与无线频道相比，有线台有义务提供更符合用户需要的节目；同时，也没有理由与必要再用广告占用观众的宝贵时间。电视市场是最活跃的经济领域之一，由于高回报的吸引，各地竞相上电视台，其中有线电视台投资少、见效快，格外热门。

　　无线电视播广告是由于只有靠这个途径才可维持生存。观众虽然免费看电视节目，但是实际上是以同时收看广告来给电视台以经济支持的。而有线电视台之所以能够发展，正因为它可以让观众在直接付给电视台费用之后，可以收看纯电视节目。

　　有线台在有了一定规模，在观众中也打开一定的局面之后，对广告的高额利润开始表示出浓厚的兴趣。于是，广告片也就纷纷挤上屏幕。反正中国老百姓不那么认真，最好对付，这就使有线台不必担心有人反对，可以大播特播了。

121. "大播特播"的意思是：
A. 特别播出
B. 免费播出
C. 播得很好
D. 播得很多

122. 为什么很多地方都要建有线电视台？
A. 建电视台很热门
B. 建电视台很快
C. 利润很高
D. 人们需要更多的电视节目

123. 关于无线电视台：
A. 广告更多
B. 只靠广告很难生存
C. 必须依靠广告

D. 必须依靠大量观众

124. 对有线台大播特播广告,作者
    A. 很不满,但不知道怎么做
    B. 不知道已有人提出意见
    C. 很不满,认为可以依法解决
    D. 对有线电视台不满,对观众不反对也不满

125～130

  星期天因为外出办事,顺便到姐姐家吃饭。见我来了,姐姐急忙给我做饭,姐夫在旁边帮着做凉菜。姐姐一会儿说姐夫动作太慢,一会儿又说姐夫菜洗得太快没有洗干净,一会儿说菜切得太粗,一会儿又说切得太细了。姐夫始终微笑着,不着急,也不发火。

  "您的脾气可真好!"我不由得对姐夫说。

  "你不知道,这几天你姐姐值班。"姐夫微笑着说。

  原来,姐姐家里有一个新鲜的规定,如果谁一段时间心情不好,容易发火,大家就说他在"值班",这时候,大家都要让着他,他发火的时候,绝不和他争吵。姐夫告诉我,现在正是初冬,得感冒的小孩特别多,孩子去看病,至少有两个家长陪着,姐姐一会儿给孩子看病,一会儿安慰家长,一天下来,累得自己也快病了。回到家里,当然就容易发火了。

  "不光我,他们也有值班的时候。"姐姐也笑了。"小艺考大学以前,压力很大,脾气也不小,值了整整两个月的班。拿到录取通知书以后,说要好好谢谢爸爸、妈妈。"

  姐姐家因为有"值班"的制度,所以大的战争一次也没发生过。我想等我结婚以后,也要试试"值班制"。

125. 姐姐为什么要批评姐夫?
    A. 因为姐夫动作太快
    B. 因为姐夫动作太慢
    C. 因为姐夫没把菜洗干净
    D. 因为自己心情不好

126. 文章中"值班"的意思是指一个人在一段时间
    A. 工作很忙
    B. 容易发火
    C. 不能生气
    D. 干所有家务

127. 姐姐家里有几口人?
    A. 两口
    B. 三口
    C. 四口
    D. 六口

128. 姐姐是做什么工作的?
    A. 大学老师
    B. 幼儿园老师
    C. 工人
    D. 医生

129. 姐姐最近怎么了?
    A. 孩子生病了
    B. 自己累得生病了
    C. 工作太忙了
    D. 孩子考大学压力太大了

130. 姐姐的家庭是个什么样的家庭?
    A. 分工明确
    B. 很和睦
    C. 人人都不发火
    D. 常常吵架

# 四、综合填空

（40题，30分钟）

## 第一部分

说明：131～154题，每段文字中都有若干个空儿（空儿中标有题目序号），每个空儿右边都有ABCD四个词语，请根据上下文的意思选择惟一恰当的词语（在答卷上的字母上画一横道）。

131～137

人们生病住院以后，131 需要营养补品，离开了工作和亲友，加上132 病痛的折磨，往往感到寂寞、烦闷和焦虑，更需要精神上的133。一束鲜花能给病人带来春光和希望。在病情允许的情况134，看看报刊，听听广播，不仅能使病人135 外面世界的信息和变化，也能缓解不良的情绪。136，探视病人，赠送礼品，大有137。

131. A. 特别　　B. 所以　　C. 不仅　　D. 非常
132. A. 接受　　B. 收到　　C. 受到　　D. 获得
133. A. 慰问　　B. 安慰　　C. 周到　　D. 照顾
134. A. 时　　　B. 中　　　C. 上　　　D. 下
135. A. 了解　　B. 解决　　C. 认识　　D. 控制
136. A. 看出　　B. 看来　　C. 来看　　D. 看到
137. A. 经验　　B. 学问　　C. 知识　　D. 体会

138～143

138 书介绍了退休制度在西方一些国家的起源及139 发展历史，140 叙述了第二次世界大战后法国141 在当时几种退休制度并存的情况下，进行重大修改从而142 了比其它143 国家更为完善的退休制度。

138. A. 本　　　B. 这　　　C. 那　　　D. 其
139. A. 它　　　B. 它们　　C. 其　　　D. 这
140. A. 也　　　B. 并　　　C. 又　　　D. 再
141. A. 如何　　B. 什么　　C. 从哪儿　D. 为何
142. A. 修建　　B. 建筑　　C. 建立　　D. 设立
143. A. 进步　　B. 发达　　C. 发展　　D. 繁荣

144～150

　　"一辈了没红<u>144</u>脸",这是不少报纸杂志上对良好夫妻关系的 一种描述。<u>145</u>,人无完人,夫妻俩因<u>146</u>成长的家庭环境、<u>147</u>教育程度、个性脾气、生活<u>148</u>等方面的不同,矛盾总是有的。良好的夫妻关系需要互相包容、谦让,但并不是要专拣好听的说。夫妻俩"红脸"其实<u>149</u>不见得是一件坏事,<u>150</u>,这样也许还能使两个人都发现自身的缺点,避免产生新的矛盾。

144. A. 了　　　B. 过　　　C. 着　　　D. 的

145. A. 真正的　B. 事实上　C. 本来　　D. 原来
146. A. 互相　　B. 分别　　C. 各自　　D. 对方
147. A. 收　　　B. 受　　　C. 得　　　D. 被
148. A. 习惯　　B. 特色　　C. 特征　　D. 行动

149. A. 真　　　B. 并　　　C. 从　　　D. 总
150. A. 相反　　B. 反之　　C. 反对　　D. 反面

151～154

　　<u>151</u>我已回到北京,每天上班都要走过长安街,亲眼目睹了改革开放以来长安街<u>152</u>的巨变:那宽阔的路面,那林立的高楼,那五颜六色的霓虹灯,<u>153</u>那美丽的立交桥……我为这日新月异的变化而感动,也为自己是北京人而<u>154</u>自豪。

151. A. 如今　　B. 当今　　C. 面前　　D. 从前

152. A. 发展　　B. 发生　　C. 开展　　D. 引起

153. A. 还是　　B. 再说　　C. 也是　　D. 还有

154. A. 知道　　B. 感到　　C. 认为　　D. 发觉

# 第二部分

说明：155～170题，每段话中都有若干个空儿（空儿中标有题目序号），请根据上下文的意思在答卷上的每一个空格中填写一个恰当的汉字。

155～158

这里的书屋在经<u>155</u>方面处处为读者着<u>156</u>。许多书屋不仅对老顾客打折优<u>157</u>，而且对新顾客也一视同仁。其中一些书屋还设立了图书出租柜台，租赁费只有几毛钱。对那些酷<u>158</u>书籍又囊中羞涩的人来说，这可谓是雪中送炭。

159～163

吉田修一先生是我的老朋友，他每年都要带几批日本学生来我院学习汉语或参加文化旅游。3月29日他看到贵版公布的四月讨论热点话<u>159</u>"我说环境保护"后颇有感想，他和我交谈后，4月9日从日本发来传<u>160</u>阐述自己的一些想法。吉田先生作为日本福冈县人才技术经济交流协会常务理事，对我国有很深<u>161</u>的感情。一个外国人对中国的环境保护都能如<u>162</u>关心，我们自己就更责无旁贷了。我把他的信及翻<u>163</u>件给您，请您斟酌。

164～165

全家商议，该到送鸟归林的时候啦。"累累"好像理<u>164</u>我的心情，恋恋不舍似地卧在我的肩头，瞪着又圆又亮的眼睛望着与它共同生活过的人类。我动情地摸着它的羽<u>165</u>，就像父亲在送孩子远行似的。

166～168

每次献血，我就想到我的血将会流淌在另一个人的血管里，通<u>166</u>输血，现在13个人已经成为我的兄弟或姐<u>167</u>。给予血液就是给予生命，如果没有我的血，这13个人当中的某些人也许已经死去，难道这不能使人觉得做一个义<u>168</u>献血者很值得吗？

167～170

我单位因工作需要现求<u>169</u>轿车、旅游车、货车，望出售旧车的单位及个人速与我单位<u>170</u>系，车款即付。

# 第四套听力理解文本

## 一、听力理解

### 第一部分

1. 去年建国结婚咱们没去,后天就是建华,这次得去。咱们现在去买样东西,颜色要鲜艳点儿的,办喜事嘛。
   问:他们现在要去干什么?
   A

2. 油已经热了,观众朋友,注意看,现在把菜放进去,翻几下,加酱油、料酒,最后放盐。
   问:说话人在做什么?
   D

3. 这个方案再好不过了,可是要经过领导批准。
   问:这句话是什么意思?
   C

4. 这个倒霉的录音机怎么老坏?
   问:这个录音机怎么样?
   B

5. 为了布置新房,我们买了不少家具,书桌、餐桌、电脑桌、床什么的,差不多都买齐了。
   问:说话人没提到哪种家具?
   A

6. 从目前的情况来看,两国之间的武装冲突不是不可避免的。
   问:这句话是什么意思?
   D

7. 我又不是他的老板,他就是干得再不好,让我怎么说?
   问:说话人是什么意思?
   D

8. 比起大饭店和大酒楼,他更乐意到街头的小饭馆吃饭。
　　问:说话人是什么意思?
　　C

9. 去银行呀,出了火车站往前走,到了邮局门口过马路,再往前走就看见了,就在百货大楼的旁边。
　　问:问路人要去什么地方?
　　D

10. 就这质量,还名牌呢!
　　问:说话人是什么意思?
　　A

11. 穿黄西服配红领带,亏你想得出。
　　问:说话人是什么态度?
　　C

12. 这儿没有哪一家比这个百年老店更看重声誉的了。
　　问:这句话是什么意思?
　　A

13. 原来粮食产量只有五万斤,使用这种新品种以后,四年间粮食产量增加了两倍。
　　问:现在的粮食产量是多少万斤?
　　B

14. 昨天去上课,铃响进教室,可是怎么也听不懂老师在讲什么。我以为自己拿错书了,半天才明白,怎么少走一层,坐到三楼历史系的教室里来了。
　　问:说话人怎么了?
　　B

15. 各位旅客请注意,开往广州的5次特快现在开始检票,请大家把票准备好,按次序进站。
　　问:这是什么地方的通知?
　　B

## 第二部分

16. 女:刘主任,这件事这么办您说没事吧?
　　男:出了事有我呢。
　　问:下面哪种理解正确?

C

17. 女：这两千块钱都包括什么呀？
    男：来回车票、风景点门票、食宿费用。一句话，您交了钱，就什么都不用操心了。
    问：对话可能发生在什么地方？
    C

18. 男：学校食堂早上六点半开饭吗？
    女：不是，平时是七点半，星期天比平时晚半个小时。
    问：学校食堂星期天早上几点开饭？
    D

19. 女：好久没见玛丽了，她现在的汉语水平比以前提高了吧？
    男：还是就会说"你好"、"再见"。
    问：男的是什么意思？
    D

20. 男：对不起，我错了。
    女：你哪里会错？你没错，是我看错了你。
    问：女的是什么意思？
    C

21. 女：既然去南方，你一定要去深圳看看。
    男：有什么好看的？听说就是些高楼。
    问：男的是什么意思？
    B

22. 女：听说鸡蛋又要涨价了，你今天下班回来赶紧多买点。
    男：你呀，老是这么听风就是雨的。
    问：男的是什么意思？
    A

23. 女：老沈请假，说是又病了，我看肯定又是去跑生意了。哎，你觉得这个人怎么样？
    男：可不怎么样。
    问：男的是什么意思？
    B

24. 女：听说最近要开会讨论下个月去农村参观的事。
    男：你知道什么时候开吗？

问:男的想知道什么?

B

25. 女:哎,对了,忘了问你,那天你赶上火车了吗?

男:差点儿没赶上,我连车票都没顾上买就上车了。

问:从对话中我们可以知道什么?

D

26. 女:好家伙,当记者可真够难的。

男:成天在外跑,弄得家跟旅店似的。

问:从对话中我们可以知道什么?

D

27. 女:我去市场买点儿菜,一会儿就回来。

男:那你顺便把我给小李的信邮了吧。

问:男的请女的做什么?

A

28. 女:对门怎么回事?每天中午弹钢琴,吵得别人不能睡觉。

男:听说他们儿子要考试了,忍一忍吧。

问:从对话中我们可以知道什么?

D

29. 女:我想弄一些花栽在院子里,我不在的时候,你能替我浇浇水吗?

男:当然可以啊。不过等我出差的时候,你是不是能帮我照顾照顾猫?

问:女的要男的做什么?

C

30. 女:我们应该上街买礼物了。

男:是啊,眼看就要过新年了。

问:男的是什么意思?

A

31. 女:谁在敲门?

男:不是李明就是张华。

问:男的是什么意思?

D

32. 男:你父母真不错,不过我不知道他们对我印象如何,那天我有点紧张。

女:别担心,我看得出来他们喜欢你,他们会赞成的。

问:两个说话人可能是什么关系?

A

33. 女:请问,这儿有卖冷饮的地方吗?

男:学生宿舍区西边有个小卖部,那儿卖。

问:对话可能发生在什么地方?

C

34. 女:你看,今天的天多蓝啊。

男:是啊,又热又湿的夏天终于过去了。

问:从对话中可以知道什么?

B

35. 男:你这次是出差吗?

女:对。明天我就离开天津了,我想趁去上海的机会去杭州玩一趟。

问:女的打算去什么地方出差?

C

# 第三部分

36 到 38 题是根据下面一段话:

男:劳驾,请问附近有配眼镜的吗?

女:看眼病的?去医院呀!附近就有一个。沿着这条路往前走,到第二个十字路口往左拐,你就
看到了。

男:恐怕我看不见。我不是看眼病,我是要配眼镜。我的眼镜刚才摔坏了,现在什么都看不清楚。

女:喔,对不起,这附近没有眼镜店,远点的只怕你不知道路。

男:我有地图。

女:那太好了。你看,这儿有一个大学,旁边有几个大眼镜店。你坐 109 路电车,到学院站下车,
再往前走一点往东一拐,就能看见眼镜店的标志了——对了,你可能看不见。

男:没关系,到了附近就行。109 学院站下车,往东拐。多谢!

36. 男的正在打听什么地方?

B

37. 关于女的,下面哪句话是正确的?

C

38. 现在男的最可能要做什么?

B

39 到 41 题是根据下面一段话:

最近,不少学生反映,高考前父母的紧张情绪给他们带来了巨大的压力,这种压力使他们感到厌烦、急躁,不能安心读书。在这里我们要提醒大家,考试前,做父母的固然要关心子女的学业,但不应该在家里造成一种考试气氛,电视不敢开、甚至连说话也不敢大声。你可以把电视机的音量调小,尽量给孩子一个安静的复习环境,但不必完全改变日常生活。做父母的如果紧张,孩子会更加紧张。有些父母口里对孩子说"尽力而为就行了,成绩怎么样我们是不会介意的",可是说话时态度严肃,神情焦虑,孩子怎么能不感到紧张?

39. 这篇文章的中心意思是什么?

    D

40. 这段文字认为考试前家长应该做什么?

    B

41. 孩子最担心的是什么?

    B

42 到 44 题是根据下面一段对话:

男:小姐,那种钟我看一下。

女:这是石英钟,方便准时。

男:您再给我拿一个机械钟,石英钟好像特别怕潮。

女:机械钟有点笨重,不过特别耐用。

男:机械钟就是结实,石英钟轻得让人不放心。不过这种机械钟准吗?

女:不准的不准卖,机械钟也贵点。

男:贵就贵点吧。

42. 下面哪句话是错的?

    A

43. 两个人是什么关系?

    D

44. 你怎样理解这两个人的谈话?

    B

45 到 47 题是根据下面一段话:

伊朗电影起步于四十年代,从七十年代开始每年都出现在世界最重要的电影节上,不少优秀作品受到世界影坛的广泛关注。很多人以为伊朗电影是在九十年代突然发展起来的,其实伊朗电影在国际电影界向来都有极其重要的地位。在今年法国戛纳国际电影节上,伊朗影片《樱桃之味》还获得了最高奖。

伊朗电影的产量并不多,但一直保持着较高的艺术水准。伊朗电影艺术家注重艺术形式的探索,始终与世界影坛的艺术探索保持一致。伊朗电影始终坚持反映普通人的生活,这是它最大的特色,也是吸引世界各地电影观众的主要原因。

45. 这段话的主要内容是什么?

    C

46. 伊朗电影从什么时候开始受到国际影坛的关注?

47. 下面哪个是伊朗电影最重要的特点？

C

48 到 50 题是根据下面一段话：

我家离一个卖旧书旧货的市场很近，我喜欢收藏字画，所以就经常去逛逛，几年下来，还真有不少收获。

一天，我在一个旧书摊上发现了一位著名作家的书，上面还有他的签名，更让我惊奇的是，里面竟还夹着他的一幅画。这位作家一向以书法知名，画可真不多见，真是意外之喜。至于这些花了多少钱，用摊主的话说："一盒烟钱。"

还有一次，我在摊主一个很脏的破包里翻出一幅画，打开一看，心里怦怦直跳，竟然是著名画家潘素的作品。我怕是假的，仔细研究了一番，肯定是真的。我高兴极了，摊主看了出来，便又从那个破包里拿出几张画，说："不单卖，要买，一块儿买才行，一百块一分不能少。"这个价钱让我惊喜极了，等看过别的我更觉得好笑：那些画差不多也都是名家的作品。于是我急忙给了钱，拿了这些宝贝便走，生怕摊主后悔或发现什么。

48. 作者是怎么得到一个著名作家的画的？

C

49. 摊主为什么要把潘素的作品和其他人的作品一起卖？

A

50. 作者为什么觉得很好笑？

C

# 第四套标准答案

## 一、听力理解

### 第一部分

1. A  2. D  3. C  4. B  5. A  6. D  7. D  8. C  9. D  10. A  11. C  12. A  13. B  14. B
15. B

### 第二部分

16. C  17. C  18. D  19. D  20. C  21. B  22. A  23. B  24. B  25. D  26. D  27. A
28. D  29. C  30. A  31. D  32. A  33. C  34. B  35. C

### 第三部分

36. B  37. C  38. B  39. D  40. B  41. B  42. A  43. D  44. B  45. C  46. B  47. C  48. C
49. A  50. C

## 二、语法结构

### 第一部分

51. C  52. B  53. D  54. D  55. B  56. C  57. C  58. D  59. B  60. C

### 第二部分

61. A  62. B  63. C  64. B  65. B  66. D  67. A  68. B  69. C  70. C  71. D  72. B
73. A  74. A  75. B  76. A  77. B  78. B  79. C  80. B

## 三、阅读理解

### 第一部分

81. B  82. B  83. A  84. B  85. A  86. C  87. A  88. D  89. A  90. B  91. A  92. A
93. B  94. D  95. B  96. B  97. B  98. B  99. A  100. D

## 第二部分

101. C  102. A  103. A  104. B  105. A  106. D  107. B  108. C  109. A  110. B  111. D
112. B  113. C  114. A  115. A  116. C  117. C  118. B  119. A  120. C  121. D  122. C
123. C  124. D  125. D  126. B  127. B  128. D  129. C  130. B

# 四、综合填空

## 第一部分

131. C  132. C  133. B  134. D  135. A  136. B  137. B  138. A  139. C  140. B  141. A
142. C  143. B  144. B  145. B  146. C  147. B  148. A  149. B  150. A  151. A  152. B
153. D  154. B

## 第二部分

155. 营  156. 想  157. 惠  158. 爱  159. 题  160. 真  161. 厚  162. 此  163. 译
164. 解  165. 毛  166. 过  167. 妹  168. 务  169. 购  170. 联

# 模拟试卷（五）

## 注 意 事 项

一、汉语水平考试(HSK)包括四项内容：
    (1)听力理解(50题，约35分钟)
    (2)语法结构(30题，20分钟)
    (3)阅读理解(50题，60分钟)
    (4)综合填空(40题，30分钟)
    全部考试时间约需145分钟。

二、全部试题答案必须写在答卷上，不能写在本试卷上。多项选择题(1～154题)都有四个供选择的答案，要求在答卷上画出代表正确答案的字母，每题只能画一横道，多画作废，答错不倒扣分。如：[A][B][C][Đ]。请考生注意，HSK使用阅读机阅卷，横道一定要画得粗一些，重一些，否则阅读机难以识别。综合填空题第二部分(155～170题)，请在答卷上的空格中各填写一个恰当的汉字。

三、注意看懂题目的说明，严格按照说明的要求在规定的时间内回答问题。听力理解试题，每个问题后空15～20秒的时间，以供选择答案。

四、严格遵守考场规则，听从主考人的指挥。考试结束后，必须把试卷和答卷放在桌上，等监考人员回收、清点后，才能离场。

# 一、听力理解

(50题,约35分钟)

## 第一部分

说明:1~15题,这部分试题,都是一个人说一句话,第二个人根据这句话提一个问题,请你在四个书面答案中选择惟一恰当的答案。

例如:第8题,你听到:

第一个人说:……

第二个人问:……

你在试卷上看到四个答案:

A. 七点十分　B. 七点　C. 十点七分　D. 六点五十

第8题惟一恰当的答案是D,你应在答卷上找到号码8,在字母D上画一横道。横道一定要画得粗一些,重一些。

8.[A]　[B]　[C]　[D̶]

1. A. 老田的
   B. 王力的
   C. 王力的妹妹的
   D. 王芳的

2. A. 学校
   B. 商场
   C. 银行
   D. 保险公司

3. A. 王洋只说不做
   B. 王洋很会演讲

   C. 王洋很会唱歌
   D. 王洋非常热情

4. A. 我丈夫不想买这件衣服了
   B. 丈夫不喜欢我给他买的衣服
   C. 丈夫不想和我一起买衣服
   D. 我和丈夫意见不一致

5. A. 售货员说话十分客气
   B. 售货员的态度非常不好
   C. 当售货员收入不太高
   D. 售货员工作没有精神

133

6. A. 为减肥她经常运动
   B. 因为她不运动，所以应该减肥
   C. 她常常减肥
   D. 她不需要减肥

B. 矛盾
C. 高兴
D. 惊讶

7. A. 不管明天天气怎么样，都要进行比赛
   B. 如果明天下雨，比赛就不再进行
   C. 我担心明天下雨，比赛不能照常进行
   D. 明天不会下雨，比赛照常进行

12. A. 约三个月
    B. 约四个月
    C. 约五个月
    D. 约五个半月

8. A. 说话人非常害怕坐飞机
   B. 妻子更愿意坐火车去
   C. 我们不打算坐火车去
   D. 我们坐的火车误点了

13. A. 小周很适合在书店工作
    B. 小周花了七十八块钱
    C. 小周常常去书店
    D. 小周买书花了很多钱

9. A. 星期一
   B. 星期二
   C. 星期四
   D. 星期天

14. A. 吴倩在七点之前就来了
    B. 吴倩来得太早了
    C. 吴倩不该提前来
    D. 吴倩七点以后才到

10. A. 事情没做好是你的责任
    B. 这件事谁都觉得奇怪
    C. 这件事情和你没有关系
    D. 你去看看是怎么回事

15. A. 他们八点一定来我们的房间
    B. 不用急，我把闹钟定到八点了
    C. 修理门的人八点钟来
    D. 他们一进门，钟敲了八下

11. A. 后悔

第二部分

说明:16～35题,这部分试题,都是两个人的简短对话,第三个人根据对话提出一个问题,请你在四个书面答案中选择惟一恰当的答案。

例如:第22题,你听到:

22. 第一个人说:……

第二个人说:……

第三个人问:……

你在试卷上看到四个答案:

A. 睡觉　B. 学习　C. 看病　D. 吃饭

第22题惟一恰当的答案是C,你应在答卷上找到号码22,在字母C上画一横道。横道一定要画得粗一些,重一些。

22. [A]　[B]　[C]　[D]

16. A. 学生
　　B. 演员
　　C. 记者
　　D. 教师

17. A. 女的没有去看演唱会时穿的衣服
　　B. 男的想知道谁请女的去的
　　C. 女的很不喜欢演唱会
　　D. 男的非常喜欢演唱会

18. A. 学习骑马
　　B. 去学院了
　　C. 正在玩
　　D. 正在写作业

19. A. 男的身体不好
　　B. 小王不太高兴

C. 女的很关心男的
D. 小王可能生病了

20. A. 喜欢
　　B. 同情
　　C. 失望
　　D. 不信任

21. A. 同意男的的话
　　B. 不同意男的的话
　　C. 记不住男的的话
　　D. 没听清男的的话

22. A. 小王没去
　　B. 他不知道
　　C. 他知道小王去哪儿了
　　D. 女的应该知道

23. A. 他不能把书拿来
    B. 他不会忘记
    C. 他忘了把书拿来
    D. 他忘了书在哪儿

30. A. 小赵租出去一间房子
    B. 老王租出去一间房子
    C. 小赵要到南方去工作
    D. 老王给小赵租了一间房子

24. A. 因为他是北京人,所以普通话说得好
    B. 他的普通话没有许多北京人说得好
    C. 男的不同意女的的话
    D. 他不是北京人

31. A. 起床晚了
    B. 闹钟坏了
    C. 班车来晚了
    D. 身体不舒服

25. A. 教育问题
    B. 孩子问题
    C. 环境问题
    D. 住房问题

32. A. 小李
    B. 小王
    C. 小谢
    D. 小赵

26. A. 这次考试很容易
    B. 这次考试时间长
    C. 这次考试很奇怪
    D. 这次考试很多人没有考好

33. A. 律师和委托人
    B. 警察和司机
    C. 教授和学生
    D. 教练和运动员

27. A. 邻居影响了她休息
    B. 房子的颜色很鲜艳
    C. 他们租了邻居的房子
    D. 女的家房子失火了

34. A. 超级市场
    B. 饭馆
    C. 水果摊儿
    D. 冷饮店

28. A. 上新课
    B. 考试
    C. 听写
    D. 开会

35. A. 高兴地接受
    B. 生气地拒绝
    C. 故意含糊其辞
    D. 害怕地犹豫

29. A. 女的喜欢争吵
    B. 女的声音很大
    C. 女的花钱太多
    D. 女的应该找一份工作

# 第三部分

说明:36～50题,这部分试题,你将听到几段简要的对话或讲话。每段话之后,你将听到若干个问题,请你在四个书面答案中选择惟一恰当的答案。

例如:第38～39题,你听到:

第一个人说:……

第二个人说:……

第三个人根据这段对话提出两个问题:

38. 问……

你在试卷上看到四个答案:

A. 食堂　B. 商店　C. 电影院　D. 去商店的路上

根据对话,第38题惟一恰当的答案是D,你应在答卷上找到号码38,在字母D上画一横道。横道一定要画得粗一些,重一些。

38.[A]　[B]　[C]　[D]

你又听到:

39. 问……

你在试卷上看到四个答案:

A. 学习　B. 看电影　C. 吃饭　D. 买东西

根据对话,第39题惟一恰当的答案是B,你应在答卷上找到号码39,在字母B上画一横道。横道一定要画得粗一些,重一些。

39.[A]　[B]　[C]　[D]

36. A. 很干净
　　B. 比原价便宜
　　C. 不成套
　　D. 是旧书

37. A. 85元
　　B. 80元
　　C. 200元
　　D. 100多元

38. A. 下星期再来
　　B. 到书店去买新书
　　C. 去找下册
　　D. 这个星期二来

39. A. 北美
　　B. 欧洲
　　C. 亚洲
　　D. 南美

40. A. 中文、英文、西班牙文和德文报纸
　　B. 西班牙文、英文、中文和德文报纸
　　C. 英文、中文、西班牙文和德文报纸
　　D. 英文、中文、德文和西班牙文报纸

41. A. 德国
　　B. 挪威
　　C. 瑞典
　　D. 日本

42. A. 是刚入校的大学生
　　B. 是多年不见的老同学
　　C. 是大学里的老教授
　　D. 是这个大学学生的家长

43. A. 变成了集贸市场
　　B. 修建了许多高楼
　　C. 搬到了城市，学生增多
　　D. 有很多竹子和果树

44. A. 很不满
　　B. 很惊奇
　　C. 很高兴
　　D. 意见不一致

45. A. 有充沛的精力和体力
　　B. 面对工作压力不过分紧张。
　　C. 睡眠只需五六个小时
　　D. 能够轻松应付日常生活

46. A. 睡眠时间与健康
　　B. 心理健康与睡眠
　　C. 健康的标准
　　D. 成人睡眠时间的长短

47. A. 电器降价是趋势
　　B. 各生产厂竞争
　　C. 春节促销
　　D. 大屏幕彩电买的人少

48. A. 因为大彩电买的人少
　　B. 家里已经有一个大的了
　　C. 因为他们的房间比较小
　　D. 因为大彩电比较贵

49. A. 25℃
　　B. 27℃
　　C. 23℃
　　D. 12℃

50. A. 风很大，注意火灾
　　B. 有降水，应带雨具
　　C. 天气很热，不要到户外活动
　　D. 出门时应该多带一些水

# 二、语法结构

（30题，20分钟）

## 第一部分

---

说明：51～60题，在每一个句子下面都有一个指定词语，句中 ABCD 是供选择的四个不同位置，请判断这一词语放在句子中哪个位置上恰当。

例如：

55. 我们 A 一起 B 去上海 C 旅游 D 过。

　　　　　　没有

"没有"只有放在句子 A 的位置上，使全句变为"我们没有一起去上海旅游过"，才合乎语法。所以第 55 题惟一恰当的答案是 A，你应在答卷上找到号码 55，在字母 A 上画一横道。横道一定要画得粗一些，重一些。

55. [A̶]　[B]　[C]　[D]

---

51. 这次下乡，给我 A 最 B 深 C 的 D 是街上车水马龙的情景。

　　　　　　印象

52. 他送 A 来 B 的大花碗都 C 我 D 打碎了。

　　　　　　给

53. 这一带的城墙据说有十 A 五 B 米宽，七 C 米 D 高。

　　　　　　多

54. 这个小孩 A 真不听话，妈妈 B 让他 C 学习，他 D 要看电视。

　　　　　　偏

55. 别 A 着急，B 你 C 能指望两个月就把汉语学 D 好呢？

　　　　　　怎么

56. 丢失图书馆 A 的图书 B 按 C 原价 D 赔偿。

　　　　　　一律

57. A 听说这次展销会上 B 抽样 C 检查的商品中，有一多半 D 存在质量问题。

　　　　　　被

58. 生活方便了，交通又 A 不便起来，B 这 C 真 D 是个矛盾。

　　　　　　可

59. 与其和那些无聊 A 的人在 B 一起 C，我 宁愿一个人呆 D。

　　　　　　着

60. 这种 A 故障很难处理，你应该找个懂 B 电脑 C 问一问 D。

　　　　　　的

# 第二部分

说明:61~80 题，每个句子中有一个或两个空儿，请在 ABCD 四个答案中选择惟一恰当的填上(在答卷上的字母上画一横道)。

例如:

67. 我昨天买了一_____钢笔。

A. 件　B. 块　C. 支　D. 条

我们只能说:"我昨天买了一支钢笔"，所以第 67 题惟一恰当的答案是 C，你应在答卷上找到号码 67，在字母 C 上画一横道。横道一定要画得粗一些，重一些。

67.[A]　[B]　[C]　[D]

61. 在他家的院子里种着几_____苹果树，他在一篇散文里曾经提到过。

A. 棵

B. 根

C. 条

D. 颗

62. 适度的锻炼有利于人们的身体健康，_____超强度的运动则会使人十分疲惫。

A. 却

B. 而

C. 并

D. 也

63. _____结构来看，汉字中的合体字明显多于独体字。

A. 在

B. 对

C. 把

D. 从

64. 门一开，她_____着一盘水果走进来。

A. 端

B. 把

C. 持

D. 抓

65. 走了许多地方以后,我发现＿＿＿＿＿家最好。
    A. 只是
    B. 就是
    C. 而是
    D. 还是

66. 怎么,你听不＿＿＿＿＿我是谁吗?
    A. 起来
    B. 出来
    C. 上来
    D. 下来

67. ＿＿＿＿＿要理解一个民族的文化,＿＿＿＿＿得先学好这个民族的语言。
    A. 不但……而且……
    B. 如果……就……
    C. 不管……都……
    D. 只有……才……

68. 到中国来之前,我看了不少＿＿＿＿＿中国的书,不然不会这么快就习惯的。
    A. 关于
    B. 对于
    C. 由于
    D. 在于

69. 在这样的条件＿＿＿＿＿,自学是没有办法的办法。
    A. 下
    B. 中
    C. 上
    D. 里

70. 这个村的村长是＿＿＿＿＿民主选举产生的,因此得到了大家的信任。
    A. 由于
    B. 由
    C. 被

D. 使

71. 如果你想参加研究生入学考试,最好先＿＿＿＿＿考过的同学打听打听情况。
    A. 问
    B. 朝
    C. 对
    D. 向

72. 这套公寓大是大,可是周围＿＿＿＿＿。
    A. 吵有点
    B. 有点吵
    C. 一点吵
    D. 吵一点

73. 中国一共有多少个民族,五十五个＿＿＿五十六个?
    A. 还是
    B. 或者
    C. 也是
    D. 要是

74. 使用这种打字机打字,＿＿＿＿＿不美观＿＿＿＿＿不经济。
    A. 既……又……
    B. 也……也……
    C. 或……或……
    D. 连……也……

75. 空气里＿＿＿＿＿了一种暴风雨到来前的气息。
    A. 全满
    B. 充满
    C. 装满
    D. 放满

76. 几十年来,许多家长＿＿＿＿＿。
    A. 在把"分数"一直放教育的首要位置
    B. 一直把教育的首要位置放在"分数"

C. 一直把"分数"放在教育的首要位置

D. 把"分数"放在教育一直的首要位置

77. 会上,一位著名语言学家提出,为书写方便,汉字必须加以_____。

A. 改革改革

B. 改革

C. 改革下去

D. 改革一下

78. 我小的时候,北京常常_____。

A. 下雪

B. 下一下雪

C. 下过雪

D. 下了雪

79. 来中国一年多了,你_____过哪些名胜古迹?

A. 参观

B. 参加

C. 观察

D. 旅游

80. 我们家以前的老房子就_____前门不远。

A. 比

B. 在

C. 离

D. 从

# 三、阅读理解

(50题,60分钟)

## 第一部分

说明:81~100题,每个句子中都有一个划线的词语,ABCD 四个答案是对这一划线的词语的不同解释,请选择最接近该词语的一种解释(在答卷上的字母上画一横道)。

81. 这件衣服样子<u>很不错</u>,就是颜色不太好。
    A. 还可以
    B. 不好
    C. 没有错
    D. 很好

82. 一个学期选十门课,你可真<u>成</u>!
    A. 能干
    B. 辛苦
    C. 完了
    D. 成功

83. 这个泥塑的弥勒佛二十块钱很<u>值得</u>。
    A. 合算
    B. 有意义
    C. 便宜
    D. 昂贵

84. 这次你可别忘了<u>搁</u>酱油。
    A. 放

    B. 带
    C. 拿
    D. 买

85. 我们对老师的这种教学方法<u>挺</u>不满意的。
    A. 并不
    B. 十分
    C. 有点
    D. 比较

86. 我不想和他这种喜欢斤斤计较的人<u>打交道</u>。
    A. 打架
    B. 计较
    C. 来往
    D. 一起走

87. 小李的工作效率一直很低,昨天被老板<u>炒了鱿鱼</u>。
    A. 批评

143

B. 请客

C. 发现

D. 解雇

88. 那位女技术员真是<u>好样的</u>,她一来,问题就解决了。

A. 长得很好

B. 很有能力

C. 心情很好

D. 心地善良

89. 虽然外面正在下雪,可是我还是要<u>动身</u>了。

A. 出发

B. 活动

C. 锻炼

D. 散步

90. 李强的所作所为让我们这些了解他的人<u>怪</u>吃惊的。

A. 很

B. 奇怪

C. 有点儿

D. 并不

91. 在国外留学时,学习生活虽然<u>紧张</u>,但是很愉快。

A. 担心

B. 缺钱

C. 很忙

D. 麻烦

92. 今年忙了一个暑假,我才<u>勉强</u>赚够了去新疆旅游的钱。

A. 很努力

B. 不得不

C. 很辛苦

D. 差不多

93. 我进门的时候看见她正在<u>打</u>毛衣。

A. 织

B. 拍

C. 捆

D. 穿

94. 他们这些人就喜欢在背后<u>说闲话</u>。

A. 聊天

B. 谈心

C. 议论别人

D. 讲故事

95. 在这几个一起长大的孩子里,他最<u>有出息</u>。

A. 有经验

B. 有成就

C. 有问题

D. 有思想

96. 许多代表认为,目前行业结构中各部门自成体系,也是<u>制约</u>经济发展的因素之一。

A. 约束

B. 促进

C. 调整

D. 克服

97. 这可是一种生活<u>本</u>领啊!

A. 经验

B. 能力

C. 水平

D. 常识

98. 我<u>按</u>了一下自行车的后轮,发现气还很足。

A. 推

B. 拉

C. 压

D. 拍

99. 他这种年龄开始学外语是会有点<u>吃力</u>。

    A. 吃惊

    B. 费力

    C. 努力

    D. 好处

100. 我们十点钟到礼堂<u>欢送</u>去法国参加大学生运动会的运动员。

    A. 送行

    B. 高兴

    C. 迎接

    D. 赠送

# 第三部分

> 说明:101～130 题,每段文字后都有若干个问题,每个问题都有 ABCD 四个答案,请快速阅读并根据它的内容选择惟一恰当的答案(在答卷上的字母上画一横道)。

101～102

    十年前,小高刚到电器部当售货员时,就发现坐着是挣不到钱的。到这里买东西的顾客只要遇到小高就别想走了,他的热情、对电器的了解使你不能不听听他的道理。一位顾客连挑了 5 台冰箱都不满意,小高立刻开了第 6 台。尝到坐不住的甜头,小高从组长到现在成为商场的经理,始终没有自己的办公室。对他来讲,有工作,一张桌子就够了,平时多在商场转转才是正事。

101. 小高为什么没有自己的办公室?

    A. 他太忙,没有时间去办公室

    B. 电器部没有办公室

    C. 他的职务太低

    D. 他觉得老坐在办公室不能赚钱

102. "甜头"的意思是:

    A. 麻烦

    B. 辛苦

    C. 好处

    D. 长处

103～104

    坐落在鼓楼旁边的东方文化书店有一个新奇的规定,凡在该店购书的读者,其每一笔书款,书店都予以登记、累计,并按照银行零存整取的储蓄方式付给书款的利息,每年结算一次。支付利息时,书店将根据读者的意愿,或付给现金或送等价值的图书。这样,读者的书款便保了值。书店老板说,在东方文化书店购书,是读书人"文雅"的投资方式。

103. "保值"的意思是:

    A. 把购书款还给读者

    B. 书店支付读者购书款的利息

    C. 书店送给读者图书

    D. 读者到书店存款取利息

104. "文雅"的意思是:

    A. 有品位

    B. 利息很低

    C. 可以获赠图书

D. 没有风险

105～106

国家统计局最新统计表明,1996 年 15～24 岁青年中就业比例为 65.2％,比 1990 年下降了 13 个百分点,比 1995 年又下降了 7.5 个百分点。同时,为取得在就业市场上的竞争优势,提高自己的文化素质,青年中就学的比例显著提高。1996 年,15～24 岁青年中就学的比例为 20.5％,比 1995 年又上升 1.37 个百分点。

105. 1995 年中国 15～24 岁的青年中就业的比例是多少?
    A. 6.5％
    B. 57.7％
    C. 78.2％
    D. 72.7％

106. 目前,中国 15～24 岁的青年中
    A. 就业的比例正在提高
    B. 就业的比例正在降低
    C. 就业人数正在超过就学人数
    D. 就学人数高于就业人数

107～110

长期在电脑前工作的人,很容易出现视觉模糊、视力下降及眼睛干涩发痒和畏光等现象,医学上称之为"电脑眼病"。

长时间盯着电脑荧屏,会使眼睛网膜上的感光物质视紫红质大量消耗。视紫红质是人眼细胞中的一种特殊感光物质,是由维生素 A 和一种蛋白质合成的。眼睛感光后,在光化学变化中,维生素 A 会遭到破坏,若破坏量很大而又得不到及时补充,视紫红质的合成就会减少,视力便会暂时下降,导致电脑眼病。每天连续看电视 3～5 小时或操作电脑 2～3 小时,视力便会因视紫红质的损耗而暂时下降 30％左右。

预防电脑眼病,除了加强眼睛保健外,还必须改善饮食来补充维生素 A。日常生活中,富含维生素 A 的食物主要有各种动物的肝脏、胡萝卜、柑橘、西红柿等。此外,多饮茶对恢复视力也是很有效的。

107. 下面哪一点不是电脑眼病的症状?
    A. 视力永久下降
    B. 看不清东西
    C. 眼睛怕见阳光
    D. 觉得眼睛很干

108. 下面哪一点是导致电脑眼病最根本的原因?
    A. 感光物质和视紫红质消耗
    B. 维生素 A 和蛋白质遭到破坏
    C. 视紫红质合成受到干扰
    D. 视网膜的视线细胞遭到破坏

109. 根据短文,下面哪句话是正确的?
    A. 看电视比用电脑更影响视力
    B. 连续使用电脑会使视力迅速下降
    C. 紫红质消耗很难补充
    D. 通常感光物质中维生素 A 不易消耗

110. 作者提出应该怎样防治电脑眼病?
    A. 补充蛋白质
    B. 口服维生素 A
    C. 改善饮食
    D. 避免长时间使用电脑

111～114

一群大学生用自己的声音,为上海 14 万盲人"说"了一部世界名著。起因是一则公益广告,画面上一位戴墨镜的青年告诉别人,他戴墨镜是因为无法选择,所以"我要戴它一辈子"。这则公益广告震动了上海师大

学生的心灵,盲者眼前没有光明,我们为什么不能用自己的行动为他们带去一份光明呢?于是他们想到为盲人录制一套世界名著有声读物,他们选择了《呼啸山庄》。

靠几台双卡录音机,数间小屋,9名未受过任何专业训练的大学生要灌制一部《呼啸山庄》。校园里没有多少人知道他们在忙些什么,但是凡是知道的同学都希望能在这个时候帮帮他们。他们有的悄悄在小屋门口放上一瓶开水、几块点心;有的为他们找来相应的参考材料;有的主动代他们做一些事情。9个人的行动,凝结着的是90个、900个乃至更多人的希望。

当又一个春天来临的时候,20盒录音带终于制作完毕了。3月10日这份三月的厚礼送到市盲协副主席手中。

111. "说"世界名著指什么?
  A. 谈世界名著
  B. 介绍世界名著
  C. 播讲世界名著
  D. 讨论世界名著

112. 为什么大学生要"说"世界名著?
  A. 为了作广告
  B. 为帮助盲人
  C. 应盲人请求
  D. 为了练习朗读

113. 在"说"世界名著的过程中:
  A. 他们受到了专业训练
  B. 有 90 个人参与
  C. 没有人知道他们在忙什么
  D. 得到了很多人的帮助

114. "说"世界名著用了多长时间?
  A. 约 3 个月
  B. 约 9 个月
  C. 约 12 个月
  D. 不清楚

115~118

一家子,妹妹是副市长,哥哥是银行行长,这位行长恋上当地一家商业银行的女行长,而这位女行长旧日的情人在海外发了"洋财",如今已是该市最大的外商。这家人里还有些七大姑八大姨,亲家公亲家母,大小都是人物,起码也是个工会主席。

这是一部"现实"题材的电视连续剧中的人物关系。在我印象中,好像除了吃喜酒,难得能有这么多亲朋故旧聚到一起的时候,何况这些凑齐了差不多能开上一个市政府办公扩大会议的亲友们。都说"人是一切社会关系的总和",我看这话应该改成"电视剧是一切社会关系的总和"才合适。幸亏这戏是给中国人看的,外国人看了,那些剧中姑嫂舅叔的,只怕更是摸不着头脑。

115. 这是一篇:
  A. 电视剧剧情介绍
  B. 电视剧评论
  C. 新闻报道
  D. 电视剧海报

116. 作者认为这部电视剧:
  A. 很虚假
  B. 很真实
  C. 人物太多
  D. 太深奥

117. "七大姑八大姨"的意思是:
  A. 亲友很多
  B. 七姑和八姨
  C. 姑姨很多
  D. 关系很复杂

118. 作者的口吻是:
  A. 欣赏

B. 忧虑

C. 愤怒

D. 嘲讽

119～124

根据世界卫生组织的调查，全球约有一亿人患有忧郁症，21 世纪将是忧郁的年代，忧郁的病例将持续增加。如果你的情绪只是偶尔低落，那还不要紧，可是如果心情每天都很恶劣，以致影响日常生活，那可要小心，你可能已经患上心理疾病了。

忧郁症的病状基本上可归纳为"懒"、"呆"、"变"、"忧"、"虑"。所谓"懒"，就是做什么都没有兴趣；"呆"就是记忆力衰退，反应迟钝；"变"是性情大变；"忧"是无缘无故感到沮丧；"虑"则是对生命的价值产生怀疑，对生活缺乏信心。患忧郁症者，生理上会产生什么变化呢？胃口不好、体重下降、失眠或睡眠过度、身体不适，如腰酸背痛等。忧郁症的起因一般可分为"内源性"及"外源性"两种。"内源性"忧郁症是源于内在生理因素，比如中枢神经系统内分泌太低。忧郁症也可能是性格使然，有些人对自己要求过高而无法达到目标时，自然会产生幻灭感。"外源性"忧郁症的导因则是外来压力，如失去心爱的人，失业、失恋、工作压力等等，导致精神崩溃。

119. 这篇文章主要谈的是：

A. 全球患忧郁症的情况

B. 21 世纪人类的健康状况

C. 忧郁症的表现和病因

D. 忧郁症如何预防和治疗

120. "21 世纪将是忧郁的年代"这句话是什么意思？

A. 21 世纪的忧郁症患者将会很多

B. 21 世纪的忧郁症患者将会得到很好的治疗

C. 21 世纪人类的健康状况将严重恶化

D. 21 世纪将出现许多令人担忧的社会问题

121. 在什么情况下，你可能患了忧郁症？

A. 向别人发火

B. 做事情太小心

C. 常常有幻灭感

D. 常常处于兴奋状态

122. 关于忧郁症患者，下面哪句话不正确？

A. 他们常常对生活没有信心

B. 他们常常没有精神

C. 他们常常记不住事情

D. 他们在生理上都没有问题

123. 下面哪一条不是忧郁症患者的病因？

A. 懒惰、迟钝

B. 过分好强

C. 性格有弱点

D. 工作压力太大

124. 这篇文章是写给谁看的？

A. 专家

B. 家长

C. 一般读者

D. 病人

125～130

那是 1985 年，为了离开原来毫无生气甚至满足不了温饱的护士职业，我凭着一台收音机，花了一年半时间学完了原来需要三年的英语课程。我鼓足勇气，走进了世界最大的信息产业公司 IBM 的北京办事处。

两轮笔试和一次口试我都通过了，最后主考官问我会不会打字，我条件反射地说：会！

"那么你一分钟能打多少？"

"您的要求是多少？"

主考官说了一个标准，我马上说我可以。因为我环视四周，发现考场里没有打字机。果然，主考官说下次录取考试时再加试打字。

实际上我从未摸过打字机。面试结束，我飞也似地跑回去，借钱买了一台打字机，没日没夜地敲打了一星期，双手疲乏得连吃饭都拿不住筷子，我竟奇迹般地敲出了专业打字员的水平，而 IBM 公司却一直没有考我的打字功夫。

我就这样成了这家世界著名企业的一个最普通的员工，我的工作是沏茶倒水，打扫卫生，完全是脑袋以下肢体的劳作。我曾感到非常自卑，连摸一下心目中高科技的象征传真机都是一种奢望，我仅仅为身处这个安全而又解决温饱的环境而感到宽慰。

但这种内心的平衡很快就被打破了。一次我因公外出，回来时被门卫故意拦在大楼门口，不让我进去，因为我没有外企工作证。看着进进出出的人们异样的目光，我内心充满了屈辱。我暗暗发誓："这种日子不会久的，决不允许别人把我拦在任何门外。"

自卑可以像一座大山把人压倒而让你永远沉默，也可以产生强大的动力。我要改变现状。我每天比别人多花 6 个小时用于工作和学习。于是，在同一批聘用者当中，每一次我都是第一个得到提拔。最后，我又第一个成为 IBM 华南区的总经理。这就是多付出的回报。

125. 考试时作者为什么说她会打字？

    A. 因为主考官说的标准很低

    B. 因为当时很可能不考打字

    C. 因为主考官说下次再考

    D. 因为她有时间练习

126. 考试后作者：

    A. 利用收音机学习英语

    B. 遗憾公司没有考她打字

    C. 感到非常累

    D. 开始练习打字

127. 为什么作者曾感到非常自卑？

    A. 因为她的工作很简单

    B. 因为她的收入是最低的

    C. 因为她连传真机都不会用

    D. 因为她进公司大楼时经常遇到麻烦

128. 文中"这种内心的平衡"指的是什么？

    A. 作者在 IBM 工作感到很骄傲

    B. 作者内心很自卑，但工作条件较好对她是一种安慰

    C. 公司后来一直没有考她打字

    D. 作者觉得很自卑但可以学到很多东西

129. 被门卫拦在公司大楼门口这件事使作者：

    A. 变得更加沉默

    B. 决定离开这个公司

    C. 想办法得到一个工作证

    D. 决心改变现状

130. 作者是一个什么样的人？

    A. 不自信的人

    B. 喜欢说谎的人

    C. 自强不息的人

    D. 运气很好的人

# 四、综合填空

（40题，30分钟）

## 第一部分

> 说明：131～154题，每段文字中都有若干个空儿（空儿中标有题目序号），每个空儿右边都有ABCD四个词语，请根据上下文的意思选择惟一恰当的词语（在答卷上的字母上画一横道）。

131～139

医学<u>131</u>早就提出，有50％以上的疾病，不用药物也可以治好。这里特别要<u>132</u>的是良好的生活方式是健康的<u>133</u>。有人<u>134</u>调查过30多位百岁以上的寿星，他们在养生保健方面虽然方法各异，但有一<u>135</u>是基本相同的，那<u>136</u>是生活有<u>137</u>：起居有序，早睡早起，饮食定时，荤<u>138</u>搭配，<u>139</u>烟少酒，睡眠充足。

131. A. 坛　　B. 界　　C. 中　　D. 门

132. A. 强调　B. 加重　C. 重要　D. 加强

133. A. 保重　B. 保养　C. 保证　D. 保持

134. A. 有　　B. 曾　　C. 已　　D. 正

135. A. 个　　B. 件　　C. 种　　D. 条

136. A. 算　　B. 就　　C. 才　　D. 竟

137. A. 规律　B. 规定　C. 规则　D. 规模

138. A. 粮　　B. 果　　C. 菜　　D. 素

139. A. 断　　B. 戒　　C. 禁　　D. 停

140～145

他的妻子蒋咏梅在回忆这<u>140</u>往事时，动情地说："张德树一夜之间残疾了，<u>141</u>我始终没有把他想像成残疾人。是他在这种处境下表现出的惊人的毅力，<u>142</u>我留下了深刻的印象。

140. A. 番　　B. 段　　C. 种　　D. 件

141. A. 但　　B. 却　　C. 竟　　D. 还

142. A. 使　　B. 给　　C. 对　　D. 把

我从他身上<u>143</u>到了一个具有健全人格、坚强意志和优良品质的男人的力量和魅力。这<u>144</u>是我们最终能够结合在一起的<u>145</u>。"

143. A. 感受　　B. 发觉　　C. 经验　　D. 发现

144. A. 还　　B. 也　　C. 倒　　D. 真

145. A. 原因　　B. 道理　　C. 由来　　D. 借口

146～154

　　为小事争吵是<u>146</u>夫妻间经常发生的事。说<u>147</u>婚姻生活中柴米油盐都是事,是大是小就看<u>148</u>怎么衡量了,有时看似小事的背后可能隐藏着大问题。妻子常抱怨,是她<u>149</u>现在生活状态不满的一种情绪上的<u>150</u>。这种不满,可能是由于你过于专注自己的爱好而忽略了<u>151</u>她的精神交流;可能是她对生活的期望没有得到<u>152</u>;也可能是生活中发生<u>153</u>对她影响很大的变化,<u>154</u>你又未能及时发现并给她有力的支持等等。

146. A. 少　　B. 不少　　C. 很少　　D. 多
147. A. 出来　　B. 起来　　C. 下来　　D. 上来
148. A. 你　　B. 他　　C. 她　　D. 我

149. A. 因　　B. 为　　C. 在　　D. 对
150. A. 发出　　B. 发泄　　C. 发挥　　D. 发火

151. A. 把　　B. 与　　C. 对　　D. 向
152. A. 满意　　B. 高兴　　C. 成功　　D. 满足
153. A. 着　　B. 了　　C. 出　　D. 过
154. A. 却　　B. 竟　　C. 倒　　D. 而

# 第二部分

说明：155～170题，每段话中都有若干个空儿（空儿中标有题目序号），请根据上下文的意思在答卷上的每一个空格中填写一个恰当的汉字。

**155～158**

我家住在海淀732楼，与副食店一墙之隔，店内有一台冷冻机和一台空调机，夜间发出的声音令人难<u>155</u>入睡。夏季来临，空调机排放的热气也使我们酷热难耐。我们就此事向居委会反<u>156</u>过，他们答<u>157</u>解决，但始终不见动<u>158</u>。

**159～161**

原定于3月7日晚7时15分在首都体<u>159</u>馆举行的俄罗斯大马戏团演出，因故改期到3月8日晚7时15分举行，所售门票有效。对由此给观<u>160</u>带来的不便，我们深表<u>161</u>意。

**162～165**

女，47岁，1.65米，离异，大学本科，秀美端<u>162</u>，极显年轻，温柔可亲，气<u>163</u>高雅，长<u>164</u>写作，大公司部门经理。觅：健康大度男<u>165</u>。电话：6847811

**166～170**

建造一<u>166</u>的野生动物森林公园是北京野生动物森林有限责任公司的目标。因业务发展，经人事局人才市场管理办公室批<u>167</u>，现公开招<u>168</u>工作人员。要求：①具有较强的社会交往能力；②男<u>169</u>；③大学本科以上学历；④年龄在35岁以下；⑤具有北京市户<u>170</u>。有意者请将简历、学历证书及身份证复印件寄至：北京市西城区车公庄大街北里甲1号100044。

# 第五套听力理解文本

## 一、听力理解

### 第一部分

1. 我去找老出借相机,他说在王力的妹妹王芳那儿,我现在去拿。
   问:相机究竟是谁的?
   A

2. 现在每个月交 50 块钱的退休保险金,三十年以后,您退休的时候,可以每个月从我们公司拿到 500 元。
   问:说话人可能在什么地方工作?
   D

3. 王洋这个人说的比唱的还好听呢。
   问:这句话是什么意思?
   A

4. 我觉得这件衣服不好,我丈夫非买。
   问:这句话告诉我们什么?
   D

5. 这儿的售货员说话时为什么总没好气?
   问:从这句话我们可以知道什么?
   B

6. 她动不动就减肥。
   问:这句话是什么意思?
   C

7. 哪怕明天下雨,比赛也照常进行。
   问:这句话是什么意思?
   A

8. 因为我太太害怕坐飞机,所以我们不得不坐早上五点的火车去南京。
   问:下面哪句话是正确的?
   B

9. 陆迪几乎每个星期日都去广安门电影院看电影。
   问:陆迪星期几去看电影?
   D

10. 还不是你自己弄成这样的,你怪谁?
    问:这句话是什么意思?
    A

11. 要是当初选老沈当厂长,咱们厂也不至于到今天这个地步。
    问:说话人是什么心情?
    A

12. 我们这个培训班七月下旬开课,学习电脑、会计、公文写作等共八门课程,到十一月下旬结束。
    问:这个培训班将持续多长时间?
    B

13. 这个书店很大,书的种类也很多,小周一次就买了七八十块钱的书。
    问:这句话告诉我们什么?
    D

14. 吴倩本该在七点之前来的。
    问:这句话告诉我们什么?
    D

15. 不用急,一到八点他们准来敲我们的门。
    问:说话人是什么意思?
    A

# 第二部分

16. 女:星期天出去玩了吗?
    男:玩什么呀?上午在家看书,下午看了会儿电视采访,晚上改作业备课。
    问:男的可能是做什么的?
    D

17. 女：瞧演唱会上那些歌星的样子！穿的那些衣服,还有那些歌词！
　　　你说让人怎么欣赏?!
　　男：谁让你欣赏了?
　　问：下面哪种理解正确?
　　C

18. 男：你看见小芳了吗?
　　女：写完作业,这会儿正在院子里骑她的木马呢。
　　问：小芳正在做什么呢?
　　C

19. 女：小王怎么了,脸色那么难看?
　　男：想必身体不太舒服吧。
　　问：从对话中我们可以知道什么?
　　D

20. 女：小赵说如果机器有了问题,他会帮忙的。
　　男：我看,他只会帮倒忙。
　　问：男的对小赵有什么看法?
　　D

21. 男：中国的节日太多了,记都记不住。
　　女：可不是嘛！
　　问：女的是什么意思?
　　A

22. 女：小王最近是不是去三峡了?
　　男：我哪里知道?
　　问：男的是什么意思?
　　B

23. 女：哎呀,你真把《鲁迅全集》拿来了,我以为你忘了呢。
　　男：哪儿能呢。
　　问：男的是什么意思?
　　B

24. 女：你的普通话说得真地道。
　　男：很多人以为我是北京人呢！

问:下面哪句话是正确的?

D

25. 女:明年我们要一个孩子,好吗?

男:好是好,可是一想到现在的环境、住房、教育有这么多的问题,我就有点下不了决心。

问:他们俩在谈论什么问题?

B

26. 女:这次的考试题看起来容易,做起来挺费劲的。

男:怪不得大家都考得不太好。

问:从对话中我们可以知道什么?

D

27. 男:这次可真够悬的。

女:是啊,幸亏邻居回家晚了看见,才把我们都叫醒。那时候,房子已经着了。

问:他们在谈论什么?

D

28. 女:把听写改在下星期一好吗? 我们这星期还有一门考试呢。

男:可以,不过这样一来,我们这周就得开始上第12课了。

问:男的决定这个星期做什么?

A

29. 女:我看干脆把这些钱都花了得了,省得整天吵。

男:你当然不心疼,反正又不用你每天起早贪黑跑生意。再说,就是没有钱,你也一样吵。

问:男的是什么意思?

A

30. 女:老王为什么把自己的房子租给小赵了?

男:他要到南方去工作。

问:下面哪句话是正确的?

B

31. 女:张继光,你今天为什么又迟到了?

男:我没听见闹钟响,睡过了头,误了班车。

问:男的为什么迟到了?

A

32. 女:小李,这件事让小王去负责,你和小谢就不用管了。

156

男：我们以为让小赵负责呢，怎么派了小王呢？

问：这件事让谁负责？

B


33. 女：王先生，您看我们这起事故官司能赢吗？

男：应该没问题，不过我们还需要更详细的材料，准备上法庭的时候用。

问：说话人可能是什么关系？

A


34. 女：请问速冻饺子和水果罐头在哪儿？

男：速冻饺子在第三排架子的后边，罐头在那边。

问：对话可能发生在什么地方？

A


35. 女：别人都接受了，你也别犹豫了。再说，这对你最有利。

男：这种事你别打我的主意。

问：男的是什么意思？

B


## 第三部分

36 到 38 题是根据下面一段话：

男：小韩师傅，今天没绘画方面的书吗？

女：是钱教授。有啊，这儿就有一本《张大千画选》，您准喜欢。

男：为什么不放在外面？还藏着怕卖呀？

女：这是好书，你也摸他也摸，回头该弄脏了。

男：我看看，多少钱？

女：不多要，您给八十五吧。

男：八十五还不多呀？这本书原价才60，你这旧书还卖85块？

女：这是好书呀！瞧这印得多好，纸多棒。旧书是旧书，可哪儿比新的差？就这样的画册，到书店买新的最少得200。这么着吧，把那五块去了，您拿走，怎么样？

男：好吧，可这书只有上册，没有下册。

女：您放心，您下周二来，我一定给您找本下册配上。


36. 关于这本画册，下面哪句话不正确？

B

37. 钱教授用多少钱买了画册？

157

B

38. 女的让男的做什么？

    A

39 到 41 题是根据下面一段话：

在二十世纪八十年代，世界上已有近万种报纸，其中，日报约八千种，总发行量为五亿份左右。欧洲报纸发行量占世界总发行量的二分之一，北美占四分之一，其他地区占四分之一。英文报纸占世界报纸总数的四分之一，其他发行量较大的有中文、德文和西班牙文报纸。全世界平均近十人拥有一份报纸，在英国、挪威、丹麦、瑞典、日本和美国平均每五人有一份报纸；而非洲只有十个国家人均五十人拥有一份报纸。

39. 哪个洲报纸发行量最大？

    B

40. 按使用语言分，发行量最大的报纸依次是：

    D

41. 下面哪个国家不是平均每五人一份报纸？

    A

42 到 44 题是根据下面一段话：

男：变化真大呀，四十年前，这里有一大片苹果树，还有竹子，多漂亮啊！

女：是啊，都变成高楼，认不出来了。

男：那时候咱们总是在苹果林里约会，有时候也到竹林里。那时候多安静啊。

女：那时候校园里哪有现在这么多的汽车？学生也少得多，像乡村。

男：大学快变成集贸市场了，没有一点学校的气氛；可咱们的孩子在这儿念了几年，好像并不觉得有什么不好。

女：时代不一样了，不过不是所有的变化都那么好。

42. 从对话中，可以知道说话的两个人：

    D

43. 根据对话，这个学校现在：

    B

44. 谈话的两个人：

    A

45 到 46 题是根据下面一段话：

有人习惯把八小时睡眠看成是一个成年人的正常睡眠时间，睡不足八个小时，便会产生心理负担：是不是病了？至少是失眠了吧？其实，医学研究已经表明，五个或六个小时的睡眠对于大多数人来说，就足以使他们精神饱满、健康地生活下去了。世界卫生组织给"健康"下过的定义有一条："有充沛的精力和体力，能从容不迫地应付日常生活和工作的压力而不感到过分紧张。"按照这条健康标准，睡眠时间不必人人一样。有人每天的睡眠从来没有超过三个小时，但完全正常。相反，也有人需要九个小时，甚至十二个小时的睡眠时间，才能恢复体力。

45. 下面哪个不是健康的标准？

    C

46. 这段话谈的主要内容是什么？

    A

47 到 48 题是根据下面一段话：

女：哎，电视机又降价了，降了好几百呢。咱们买吗？

男：是吗？太好了，咱们家的电视机也该换个大的了。现在电器越来越便宜是趋势——可上次
    降价不是没多久吗？怎么又降了？

女：竞争呗。几个不太有名的牌子拼命压价，29英寸才3千多，逼得各名牌厂也降。再说，不是
    快春节了吗？正是卖得快的时候。

男：那咱们家就买个29寸的吧。

女：要那么大的干嘛？房间不大，电视那么大，看还不把眼睛看坏？我看大屏幕买的人不多。

47. 下面哪个不是电视降价的原因？

    D

48. 女的为什么不同意买29英寸的电视机？

    C

49 到 50 题是根据下面一段话：

    本市今天白天晴间多云，降水概率0，北风2～3级，最高气温25℃。今天夜间晴，降水概率
0，北风1～2级，最低气温10℃。明天白天到夜间晴间多云，气温27℃～12℃。由于气温高，希
望外出活动的朋友要注意多带饮料，并做好防火工作。

49. 明天白天的最高温度是多少？

    B

50. 气象台提醒人们什么？

    D

# 第五套标准答案

## 一、听力理解

### 第一部分

1. A　2. D　3. A　4. D　5. B　6. C　7. A　8. B　9. D　10. A　11. A　12. B　13. D　14. D　15. A

### 第二部分

16. D　17. C　18. C　19. D　20. D　21. A　22. B　23. B　24. D　25. B　26. D　27. D　28. A　29. A　30. B　31. A　32. B　33. A　34. A　35. B

### 第三部分

36. B　37. B　38. A　39. B　40. D　41. A　42. D　43. B　44. A　45. C　46. A　47. D　48. C　49. B　50. D

## 二、语法结构

### 第一部分

51. A　52. C　53. D　54. D　55. C　56. B　57. B　58. C　59. D　60. C

### 第二部分

61. A　62. B　63. D　64. A　65. D　66. B　67. B　68. A　69. A　70. B　71. D　72. B　73. A　74. A　75. B　76. C　77. B　78. A　79. A　80. C

## 三、阅读理解

### 第一部分

81. D　82. A　83. A　84. A　85. B　86. C　87. D　88. B　89. A　90. A　91. C　92. D
93. A　94. C　95. B　96. A　97. B　98. C　99. B　100. A

## 第二部分

101. D　102. C　103. B　104. A　105. D　106. B　107. A　108. C　109. B　110. C　111. C
112. B　113. D　114. C　115. B　116. A　117. A　118. D　119. C　120. A　121. C　122. D
123. A　124. C　125. B　126. D　127. A　128. B　129. D　130. C

## 四、综合填空

### 第一部分

131. B　132. A　133. C　134. B　135. D　136. B　137. A　138. D　139. B　140. B　141. A
142. B　143. A　144. B　145. A　146. B　147. B　148. A　149. D　150. B　151. B　152. D
153. B　154. D

### 第二部分

155. 以　156. 映　157. 应　158. 静　159. 育　160. 众　161. 歉　162. 庄　163. 质
164. 于　165. 士　166. 流　167. 准　168. 聘　169. 性　170. 口

# 模拟试卷(六)

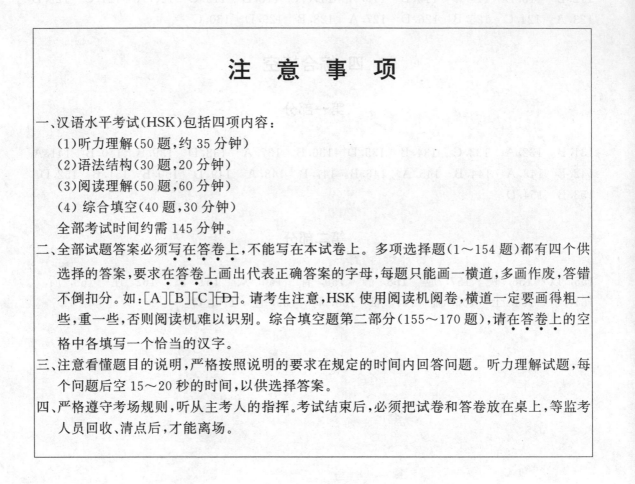

## 注 意 事 项

一、汉语水平考试(HSK)包括四项内容:

   (1)听力理解(50 题,约 35 分钟)

   (2)语法结构(30 题,20 分钟)

   (3)阅读理解(50 题,60 分钟)

   (4)综合填空(40 题,30 分钟)

   全部考试时间约需 145 分钟。

二、全部试题答案必须写在答卷上,不能写在本试卷上。多项选择题(1～154 题)都有四个供
选择的答案,要求在答卷上画出代表正确答案的字母,每题只能画一横道,多画作废,答错
不倒扣分。如:[A][B][C][Ð]。请考生注意,HSK 使用阅读机阅卷,横道一定要画得粗一
些,重一些,否则阅读机难以识别。综合填空题第二部分(155～170 题),请在答卷上的空
格中各填写一个恰当的汉字。

三、注意看懂题目的说明,严格按照说明的要求在规定的时间内回答问题。听力理解试题,每
个问题后空 15～20 秒的时间,以供选择答案。

四、严格遵守考场规则,听从主考人的指挥。考试结束后,必须把试卷和答卷放在桌上,等监考
人员回收、清点后,才能离场。

# 一、听力理解

(50题,约35分钟)

## 第一部分

说明:1~15题,这部分试题,都是一个人说一句话,第二个人根据这句话提一个问题,请你在四个书面答案中选择惟一恰当的答案。

例如:第8题,你听到:

第一个人说:……

第二个人问:……

你在试卷上看到四个答案:

A. 七点十分  B. 七点  C. 十点七分  D. 六点五十

第8题惟一恰当的答案是D,你应在答卷上找到号码8,在字母D上画一横道。横道一定要画得粗一些,重一些。

8.[A]  [B]  [C]  [D]

1. A. 活儿很少,需要的人不多
   B. 活儿很少,但需要的人很多
   C. 活儿很多,但需要的人不多
   D. 活儿很多,需要的人很多

2. A. 我不太喜欢老王
   B. 老王这个人我了解
   C. 我预料到会发生这样的事
   D. 这件事我早就知道了

3. A. 很喜欢旅行
   B. 很会唱歌

C. 非常圆滑
D. 很擅长演讲

4. A. 非常聪明
   B. 比较聪明
   C. 不太聪明
   D. 说话人不清楚

5. A. 衣服
   B. 画儿
   C. 花儿
   D. 鞋

6. A. 经常出故障
   B. 应该大力推广
   C. 不是很方便
   D. 搞乱了交通

7. A. 喜欢游泳
   B. 喜欢滑冰
   C. 游泳和滑冰都喜欢
   D. 什么都不喜欢

8. A. 我不会等他一整天
   B. 他从来都不是我的朋友
   C. 这个朋友又来晚了
   D. 我整天待在家里

9. A. 这次马拉松比赛我落后了一万步
   B. 这次马拉松比赛我很可能跑不完
   C. 这次马拉松比赛我没有跑完。
   D. 我对这次马拉松比赛很有信心

10. A. 疑问
    B. 惊讶
    C. 不满
    D. 同情

11. A. 你不应该这么做
    B. 你是怎么把盒子打开的
    C. 把盒子打开很不容易
    D. 你这样做太好了

12. A. 这儿很潮湿
    B. 这儿有一点潮湿
    C. 这儿到底有多潮湿
    D. 我看不出来这儿有多潮湿

13. A. 他希望慢慢地把事情都办好
    B. 他想快点把事情办完
    C. 他很后悔事情办得太匆忙了
    D. 他很讨厌办这些事情

14. A. 说话人对他有点不放心
    B. 他有很重要的事
    C. 他在马路上玩
    D. 他闹着要去玩

15. A. 4%
    B. 14%
    C. 10%
    D. 40%

## 第二部分

说明:16~35题,这部分试题,都是两个人的简短对话,第二个人根据对话提出一个问题,请你在四个书面答案中选择惟一恰当的答案。

例如.第22题,你听到:

22. 第一个人说:……

第二个人说:……

第三个人问:……

你在试卷上看到四个答案:

A. 睡觉　B. 学习　C. 看病　D. 吃饭

第22题惟一恰当的答案是C,你应在答卷上找到号码22,在字母C上画一横道。横道一定要画得粗一些,重一些。

22.[A]　[B]　[C]　[D]

16. A. 老师和学生
    B. 妻子和丈夫
    C. 男朋友和女朋友
    D. 妈妈和儿子

17. A. 工作
    B. 房子
    C. 衣服
    D. 文件

18. A. 35 度
    B. 33 度
    C. 37 度
    D. 29 度

19. A. 刚刚得胃病
    B. 不听医生的话

C. 不能吃羊肉
D. 改了一个坏毛病

20. A. 生病了
    B. 受伤了
    C. 被系主任批评了
    D. 竞选失败了

21. A. 他不清楚
    B. 肯定如此
    C. 他不想说
    D. 他不这么看

22. A. 赞同
    B. 反对
    C. 惊讶
    D. 生气

165

23. A. 不相信男的说的话
    B. 让男的和小强谈一谈
    C. 男的做得也不好
    D. 应该让小强自己想一想

24. A. 没有王经理很不好过
    B. 他不喜欢王经理
    C. 他很难过
    D. 这下公司可糟了

25. A. 王平说题很难
    B. 王平很了不起
    C. 这次考试对他来说很难
    D. 他觉得题很简单

26. A. 时间
    B. 做梦
    C. 噪音
    D. 住房

27. A. 光线问题
    B. 安全问题
    C. 位置问题
    D. 材料问题

28. A. 他们误了车
    B. 等车的人非常多
    C. 今天车提前来了
    D. 车总是来晚

29. A. 女的冬天在北京住过
    B. 男的冬天在北京住过
    C. 男的没有羽绒服

D. 女的已经买了一件羽绒服

30. A. 太挤了,没法跳
    B. 如果她注意点,就没问题
    C. 没有人知道怎么跳
    D. 她怎么跳都没关系

31. A. 一定还有票
    B. 没有票了
    C. 也许还有票
    D. 票太少

32. A. 女的很喜欢贺飞
    B. 女的对贺飞不太满意
    C. 贺飞花了很多钱
    D. 女的的项链大部分是贺飞买的

33. A. 米饭
    B. 馒头
    C. 饺子
    D. 面条

34. A. 火车站
    B. 饭馆
    C. 饭店
    D. 百货商店

35. A. 小京很喜欢音乐
    B. 男的想给小京买音乐书
    C. 小京需要一个录音机
    D. 女的已经给小京买好了礼物

第三部分

说明:36～50题,这部分试题,你将听到几段简要的对话或讲话。每段话之后,你将听到若干问题,请你在四个书面答案中选择惟一恰当的答案。

例如:第38～39题,你听到:

第一个人说:……

第二个人说:……

第三个人根据这段对话提出两个问题:

38. 问……

你在试卷上看到四个答案:

A. 食堂  B. 商店  C. 电影院  D. 去商店的路上

根据对话,第38题惟一恰当的答案是D,你应在答卷上找到号码38,在字母D上画一横道。横道一定要画得粗一些,重一些。

38. [A]  [B]  [C]  [D̶]

你又听到:

39. 问……

你在试卷上看到四个答案:

A. 学习  B. 看电影  C. 吃饭  D. 买东西

根据对话,第39题惟一恰当的答案是B,你应在答卷上找到号码39,在字母B上画一横道。横道一定要画得粗一些,重一些。

39. [A]  [B̶]  [C]  [D]

36. A. 7 月 31 日
    B. 2 月 9 日
    C. 3 月 12 日
    D. 4 月 5 日

37. A. 是中国的一个传统节日
    B. 为了纪念一个名人
    C. 根据一个古代故事
    D. 是孙中山规定的

38. A. 地区安全
    B. 出售武器
    C. 两国贸易
    D. 两国领导人互访

39. A. 模棱两可
    B. 明确反对
    C. 十分为难
    D. 觉得很重要

40. A. 虫子
    B. 老鼠
    C. 兔子
    D. 狮子

41. A. 呼呼大睡
    B. 一边吃一边睡
    C. 连续睡两天
    D. 站着睡

42. A. 6 种
    B. 3 种
    C. 4 种
    D. 5 种

43. A. 她有三个月没见男的了
    B. 她更喜欢平房
    C. 她觉得住楼房生活不方便
    D. 她还不认识新邻居

44. A. 离集贸市场远
    B. 电梯常出问题
    C. 生活上不太方便
    D. 孩子们很喜欢

45. A. 明代家具的材料
    B. 明代家具的售价

C. 如何挑选明代家具
D. 明代家具的收藏

46. A. 制作需要很长时间
    B. 非常耐用
    C. 有中国艺术的特点
    D. 很早就受到关注

47. A. 很难买到
    B. 价格太高
    C. 很难买到真的
    D. 茶几特别不易买到

48. A. 他赶着写书
    B. 父母身体都挺好
    C. 他要照顾弟弟
    D. 他没有钱

49. A. 打球
    B. 跳舞
    C. 听音乐会
    D. 下棋

50. A. 夫妻
    B. 同事
    C. 姐弟
    D. 同学

# 二、语法结构

(30 题,20 分钟)

## 第一部分

说明:51～60 题,在每一个句子下面都有一个指定词语,句中 ABCD 是供选择的四个不同位置,请判断这 词语放在句子中哪个位置上恰当。

例如:

55. 我们 A 一起 B 去上海 C 旅游 D 过。

没有

"没有"只有放在句中 A 的位置上,使全句变为"我们没有一起去上海旅游过",才合乎语法。所以第 55 题惟一恰当的答案是 A,你应在答卷上找到号码 55,在字母 A 上画一横道。横道一定要画得粗一些,重一些。

55. [A] [B] [C] [D̶]

51. 昨天 A 我 B 在房间里找了 C 钥匙 D。

一整天

52. 何必每天 A 上学来回跑呢?B 搬到学校 C 来 D 住算了。

干脆

53. A 气死人了!从五点 B 到七点,我 C 一直在等他,可到现在 D 还没来。

简直

54. A 并不是 B 新瓦房 C 都是 D 这两三年盖起来的。

所有

55. 虽然我们 A 住在 B 同一个城市,但 C 常常 D 写信。

还是

56. "水里捞金"现在看来 A 难以 B 想像,但 C 总有一天 D 成为现实。

会

57. 经济的发展,并 A 非 B 要 C 以污染环境为 D 代价。

一定

169

58. 虽然父母天天带 A 孩子去学 B 钢琴 C，可孩子却始终没有对 D 钢琴产生兴趣。

着

59. A 他们 B 要求 C 得到的是一个 D 合情合理的解释。

所

60. 你的身材这么好，A 穿上 B 衣服不 C 好看 D？

什么

## 第二部分

说明：61～80 题，每个句子中有一个或两个空儿，请在 ABCD 四个答案中选择惟一恰当的填上（在答卷上的字母上画一横道）。

例如：

67. 我昨天买了一_____钢笔。

A. 件　B. 块　C. 支　D. 条

我们只能说："我昨天买了一支钢笔"，所以第 67 题惟一恰当的答案是 C，你应在答卷上找到号码 67，在字母 C 上画一横道。横道一定要画得粗一些，重一些。

67. [A]　[B]　[C]　[D]

61. 我忘了他家的地址，_____先给他打了个电话。

A. 由于
B. 为了
C. 于是
D. 那么

62. 小李送来两_____电影票，让咱俩去看电影。

A. 本
B. 件
C. 篇
D. 张

63. 你光_____她一个人的话，怎么能了解事情的真相呢？

A. 以
B. 据
C. 凭
D. 由

64. 这个词的用法，连好多有经验的老师也说不_____。

A. 下来
B. 起来
C. 上去
D. 上来

170

65. 人不管遇到_____大的挫折,都不应该对生活丧失信心。

　　A. 多么
　　B. 这么
　　C. 那么
　　D. 什么

66. 我现在_____他们到底懂不懂什么是教育。

　　A. 问题
　　B. 怀疑
　　C. 疑问
　　D. 着迷

67. 据悉,赴台湾访问的代表团_____十一位科学家组成。

　　A. 由
　　B. 被
　　C. 把
　　D. 使

68. 这篇文章写得_____不错,就是太长了。

　　A. 不是
　　B. 倒是
　　C. 但是
　　D. 要是

69. 去年_____个寒假,我都在南方旅行。

　　A. 全
　　B. 整
　　C. 完
　　D. 都

70. 这个句子好像_____,念起来不太顺。

　　A. 有点问题
　　B. 问题有点
　　C. 一点问题
　　D. 问题一点

71. 在我印象_____,他一直是个和和气气的老头儿。

　　A. 来
　　B. 中
　　C. 上
　　D. 下

72. _____改革开放,中国人的小康日子_____能早日到来。

　　A. 因为……就……
　　B. 即使……也……
　　C. 不管……都……
　　D. 只有……才……

73. 由于他_____精通三门外语,_____经验比别人丰富,所以我们决定让他来负责这项工作。

　　A. 既……又……
　　B. 不但……而且……
　　C. 不仅……还……
　　D. 不止……还是……

74. 虽然这个国家很发达,但是来这里的人_____都想留下来。

　　A. 未必
　　B. 必然
　　C. 必须
　　D. 未免

75. 虽然在国外生活多年,但他_____保存着出国时带去的那套《红楼梦》。

　　A. 再
　　B. 也
　　C. 又
　　D. 仍

76. _____时间不够,我们只去了王府
   井,没有去西单。
   A. 为了
   B. 由于
   C. 于是
   D. 因此

77. 如果中国全盘西化,就会_____中国
   文化失去自己的特点。
   A. 把
   B. 给
   C. 受
   D. 使

78. 中国的春节是不是_____西方的圣
   诞节一样热闹?
   A. 跟
   B. 比

C. 不比
D. 不如

79. 你出去的时候,请帮我把这些旧报纸扔
   _____。
   A. 下
   B. 掉
   C. 完
   D. 去

80. 我_____,觉得只有老张去才能解决
   这个问题。
   A. 想去想来
   B. 想想来去
   C. 想想去来
   D. 想来想去

# 三、阅读理解
(50题,60分钟)

## 第一部分

说明:81~100题,每个句子中都有一个划线的词语,ABCD 四个答案是对这一划线的词语的不同解释,请选择最接近该词语的一种解释(在答卷上的字母上画一横道)。

81. 那个人可<u>不怎么样</u>。
    A. 不要紧
    B. 不太好
    C. 很严重
    D. 身体不太好

82. 为了尽快完成那个科研项目,他天天<u>加班</u>。
    A. 上班
    B. 参加辅导班
    C. 增加工作时间
    D. 不上班

83. 那件衣服已经<u>过时</u>了,就是便宜,我也不会买。
    A. 过季
    B. 过期
    C. 不流行
    D. 合适

84. 我<u>不时</u>会想起这件发生在二十年以前

的小事。
    A. 很少
    B. 有时候
    C. 经常
    D. 从来不会

85. 你看,<u>果然</u>下小雨了,我们为什么不骑车到郊外呼吸点儿新鲜空气去?
    A. 真的
    B. 如果
    C. 居然
    D. 终于

86. 这个结论是<u>实事求是</u>的,所以得到了大家的认可。
    A. 符合实际
    B. 很老实
    C. 很实在
    D. 很省事

87. <u>藏书</u>是我最大的爱好,到了一个城市,

173

我哪儿不去也一定要去书店看看。
- A. 收藏书
- B. 购买书
- C. 寻找书
- D. 隐藏书

88. 我觉得你这么说挺荒诞的。
- A. 非常野蛮
- B. 不可理解
- C. 十分大胆
- D. 特别新颖

89. 我儿子今年夏天研究生就毕业了,可是至今还没找到对象。
- A. 工作
- B. 单位
- C. 女朋友
- D. 目标

90. 这位年轻科学家身残志坚的事迹使我们很受鼓舞。
- A. 振奋
- B. 感动
- C. 欢迎
- D. 高兴

91. 昨天看完电影,他非要开车送我回家。
- A. 不要
- B. 没有
- C. 要求
- D. 一定要

92. 今年我们的经济还要再迈上一个新台阶。
- A. 爬
- B. 跨
- C. 举
- D. 走

93. 他爱人在一家报社当记者。
- A. 女朋友
- B. 妻子
- C. 情人
- D. 家人

94. 你不去说他倒来说我,真奇怪!
- A. 告诉
- B. 责备
- C. 解释
- D. 劝告

95. 由于经济危机,许多人提倡使用国货。
- A. 主张
- B. 要求
- C. 反对
- D. 开始

96. 预计第三季度商品零售额会以百分之二的速度增长。
- A. 可以
- B. 一定
- C. 按照
- D. 将要

97. 他们只用了二十分钟就把会场布置好了。
- A. 打扫
- B. 整理
- C. 安排
- D. 选择

98. 这一届乒乓球比赛他们看来又要拿冠军了。
- A. 奖牌
- B. 第一
- C. 奖杯
- D. 第二

99. 大家都在湖边呢，那儿可真漂亮！
    A. 房子
    B. 人家
    C. 家里人
    D. 所有的人

100. 她仰头看了看钟说："还早着呢，不用急。"
    A. 低下
    B. 扬起
    C. 扭回
    D. 点

## 第二部分

说明：101～130题，每段文字后都有若干个问题，每个问题都有 ABCD 四个答案，请快速阅读并根据它的内容选择惟一恰当的答案（在答卷上的字母上画一横道）。

101～103

迷失方向如何依靠指南针以外的东西辨别方向？下面是几种简易的方法：晴天时，如果是白天，可以用手表辨别方向。方法是：以 24 小时制时间计，将当时的时间除以 2，以所得商数对正太阳方向，手表平放，则表上"12"处对的方向即为正北。例如，下午 4 点即为 16 点，将其除以 2 即为 8，把手表平放，以 8 点处对正太阳方向，则 12 点所指方向即为北。如果是夜晚，则可以观察北斗星，北斗星为七颗星组成的勺状星体，在夜空中极易观察，北斗星所在的方位即为北。阴雨天时，可以观察大树或树桩的年轮辨别方向。一棵大树，其树叶繁密的一面总是朝南方，而枝叶稀疏的一面总是朝向北方。树桩上的年轮，间距觉的一面向南，间距窄的一面向北。雪天时，则建筑物或山沟积雪难以融化的部位朝北，反之向南。

101. 本文介绍了几种辨别方向的方法？
    A. 3 种
    B. 4 种
    C. 5 种
    D. 6 种

102. 如果现在是下午两点，你应该把几点对正太阳方向？
    A. 12：00
    B. 2：00
    C. 1：00
    D. 7：00

103. 怎样用树桩辨别方向？
    A. 看枝叶的多少
    B. 看树下的雪融化的情况
    C. 看树的年轮
    D. 看树桩之间的距离

104～106

铃木：

你好！

来信收到了，你说想参加明年我们学校

的研究生入学考试,让我帮你打听一下这方面的情况。看了你的信后,我马上到研究生院问了一下,现在我把了解到的情况告诉你。

考试每年二月初举行,一般提前三个月左右报名。对留学生来说,要考三门专业课,一门外语,也就是汉语,然后按总分来决定你能不能参加四月份的复试。可是,其中汉语同时也单独考察,也就是说,汉语必须通过,不然的话,不管总分多么高,都不能参加复试。如果二月的考试通过了,据说四月的复试不太难。你想报考的专业,最近一直很热,所以要加把劲啊。先写到这里,发信的同时,也给你寄去几本书,希望对你有帮助。

祝

好!

你的朋友:青木一郎<br>1998 年 6 月 8 日　北京

104. 铃木参加考试应该什么时候报名?
   A. 1998 年 3 月
   B. 1998 年 11 月
   C. 1999 年 2 月
   D. 1999 年 3 月

105. 如果铃木要考上研究生
   A. 汉语考试不太重要
   B. 专业考试必须及格
   C. 一共要考五门课程
   D. 必须通过两次考试

106. 铃木要报考的是一个什么样的专业?
   A. 想学的人很多
   B. 和热学有关
   C. 老师十分热情
   D. 非常不容易学

107~108

近年来,科学实验证明,节食确可大大延长寿命。早在二十世纪三十年代,营养学家麦卡就用大白鼠作节食实验,结果半饱状态的一组白鼠的寿命比饱食的另一组白鼠要长七倍。但这一发现当时未受到科学界的重视。

不久前,美国老年学家麦克诺顿又进行节食延寿的实验:将杂交小白鼠分成两组,甲组每天给 20 克卡热量的正常饮食;乙组则是半饥半饱。结果,乙组有 2/3 寿命显著延长,其中最长寿者竟超过甲组最长寿者二倍以上。人类节食是否可以延寿?老年学家们认为,答案应该是肯定的,古代不少人因节食而享高寿。中国古代名医孙思邈就是提倡实行节食而活一百多岁的先驱。

107. 根据短文,下面哪句话不正确?
   A. 正常饮食的白鼠比半饥的寿命短
   B. 早在古代人们就提倡节食
   C. 科学家已发现节食长寿的原因
   D. 营养学家与老年学家关于节食延寿的观点是一致的

108. 为什么说人类节食也可以延寿?
   A. 古代就有人因节食而延寿
   B. 老年学家已进行了多次实验
   C. 小白鼠与人的情况一样
   D. 人其实只需要很少的热量

109~110

广州动物园去年 5 月繁殖的一只金丝猴,如今已度过了哺乳期,能独立生活了。这是金丝猴首次在华南地区繁殖。金丝猴耐寒怕热,在温度高、湿度大的广州地区,别说繁殖,生存也极为困难。广州动物园的科技工作者采取了以绿化遮阳、又有一定光照的办法,成功地为金丝猴创造了一个合适的小气候环境。

109. 根据这段文字,金丝猴适合生活在:

A. 华南地区

B. 广州地区

C. 较凉爽的地区

D. 炎热湿润的地区

110. 下面哪句话作这篇文章的标题最合适？

A. 广州也有金丝猴

B. 动物园为金丝猴创造了很好的环境

C. 金丝猴很难生存

D. 广州动物园繁殖成功一只金丝猴

111-115

目前国内几项调查都表明女性使用互联网的只占网络用户的百分之十几、二十几。有人认为人们使用电脑和互联网络的障碍主要是计算机技术问题和网络语言问题，但是男性同样也遇到这些问题，他们为什么就可以克服呢？我利用中国少年报中学生读者样本做了统计，发现男孩中认为计算机对自己有很大帮助的比例远远高于女孩。也就是说，从童年开始，男孩与女孩在技术利用方面的距离就开始形成了。我遇到过这样的事情，家里买了计算机的妇女，认为这是给丈夫或孩子用的，与自己无关。而网络杂志上见到的文章中，题目多是"我的数字化新娘"之类，一看就知使用网络的人的身份肯定是男性。我知道，在传统的角色定型中男性总是与理性、高科技、勇于参与、勇于探索等特征联系在一起，而被动与感性总被归为女性特征，要改变这一点看来还需要时间。

111. 这篇文章主要在讨论什么问题？

A. 计算机技术发展与妇女解放

B. 网络语言普及与学校教育

C. 男性和女性的性别差异

D. 女性对高科技的参与问题

112. 在使用网络上，

A. 男性遇到的技术问题比较少

B. 网络语言有排斥女性的倾向

C. 女性的积极性不够高

D. 男性比女性更适合高科技工作

113. 作者关于中学生的调查说明什么？

A. 学校教育存在严重的男女不平等倾向

B. 女性从小就受到传统性别定型的影响

C. 女孩表现出强烈的求知渴望

D. 男性从小就比女性聪明

114. 作者认为以"我的数字化新娘"等为题目的文章，

A. 说明爱好和使用网络的男性的确很多

B. 说明女性完全可以进入数字化领域

C. 表达了男性希望与女性合作

D. 存在一定的轻视妇女的问题

115. 对于传统的男性和女性特征，作者认为：

A. 仍有很大影响

B. 已经非常可笑

C. 正在迅速改变

D. 与网络的使用无关

116~119

人类学是一种冷门的学问，别说一般人，即使对它略有所知的人，也都以为这是一门研究原始人或野蛮文化的学问，距离我们生活的社会非常遥远，有的甚至认为这是一种供消遣的东西，专门研究奇风异俗以满足好奇的心理。其实，人类学以研究不同人群的行为与文化为目的，在以全世界不同民族为对象的研究过程中，经常有一些原理原则可提供作为现代社会生活的准则,或可帮助解决现代社会的问题。另外,人类学者现在并不满足于研究原始民族,他们经常扩大研究的领域去接触现代的乡村甚至于城市社区,他们也经常参与决策和各种经济开发计划,他们甚至投身于工业与教育机构之中。

116. 从文章中可以看出,人们之所以对人类学有种种误解是因为:
    A. 它距离现实社会太远
    B. 它的研究方法很特别
    C. 人们对它还知之甚少
    D. 它专门研究野蛮民族

117. 下面哪个是原来人类学研究的主要对象?
    A. 原始民族
    B. 现代乡村
    C. 奇风异俗
    D. 工业教育

118. 人类学的研究目的是什么?
    A. 帮助制定经济开发计划
    B. 研究不同人群的文化和行为
    C. 帮助落后民族发展基础教育
    D. 确定现代社会生活的准则

119. 目前,人类学研究有什么新的发展动向?
    A. 更多地采用实地研究方法
    B. 不再是供消遣的单纯研究
    C. 研究范围扩大到现代社会
    D. 正逐渐成为一门热门学科

120~125
    1985年,香港某公司董事长廖先生携带一幅《百虾图》,在深圳转道时被扣留。尽管那幅画上有巴山的署名及印记,海关人员

仍误认它是齐白石大师的传世之作。几经鉴定,几经交涉,这幅饱经磨难的《百虾图》才得以出境。

能如此惟妙惟肖临摹大师之作的巴山给人一种神秘感。其实他既非白石弟子也非科班出身,只是个半道出家的画家。

生于湖北黄冈的巴山,童年进入乡村学校,巴山第一次从美术教科书中认识了水墨画大师齐白石,在美术老师的指导下,巴山饱含感情地描绘大自然、亲近大自然,将自己融入这个神奇的艺术天地。

命运跟巴山开了个玩笑。中学毕业后,巴山却阴差阳错地考中理工大学,毕业后他在北京的一家科研单位当了工程师。严谨刻板的制图、绘图与绘画似有天壤之别。

1982年,巴山带着5岁的女儿巴燕,走进了中国书画研究院书画班的课堂。他期望把女儿培养成画家,以了却他自己的未了心愿。然而,当他与女儿一同上课、一同作画时,他才明白自己已无法割舍绘画。那份对大自然的热爱,使巴山重新拿起久违的画笔,通宵达旦,几近疯狂地作画。他吃透了当代一些名家的精髓,也借鉴了一些外国丹青技法,并从他热爱的摄影中充实了他的绘画语言。

巴山精于画虾,山水、人物、花鸟画兼攻。他的山水画庄严壮美,气魄宏大,经常移山填海,再造奇观。他不注重画某地某时,而注重表现中国山水的气魄和神韵。巴山的作品多次参加国内外大型书画展,十几家博物馆都收藏有他的作品。

120. 为什么在海关《百虾图》几乎被扣?
    A. 因为作品上没有作者名字
    B. 因为被认为是别的著名画家的作品
    C. 因为是巴山的代表作品
    D. 因为它的价格十分昂贵

121. 巴山:
     A. 曾离家学习绘画
     B. 原来的专业并不是绘画
     C. 曾跟齐白石学习绘画
     D. 毕业于美术学院

122. 巴山为什么送女儿到书画班?
     A. 女儿非常喜欢书画
     B. 想让女儿实现自己的心愿
     C. 他想重新学习绘画
     D. 他发现女儿有绘画的天赋

123. 在巴山的学习对象中没有提到:
     A. 当代画家
     B. 摄影艺术
     C. 外国绘画技法
     D. 当代书法家

124. 巴山最擅长画:
     A. 虾
     B. 山水
     C. 人物
     D. 花鸟

125. 这篇文章着重介绍了巴山的:
     A. 绘画风格
     B. 绘画展出和收藏情况
     C. 成长过程
     D. 与齐白石的关系

126~130

　　1989年,我在北京开了一家药店。那时候私人药店非常少,加上市场上假药很多,社会上也常听到一些个体户为了赚钱欺骗顾客的事,所以可以想像经营会有多难。

　　第一天开业我就被当头泼了一盆冷水:从早8点到晚6点,才卖了3毛钱:十片APC。那一天,我不知听到多少人说:"个体户还允许开药店呢!"那语气,那神情,我至今还记忆犹新。

　　回到家,我一夜没睡。我想,顾客究竟在怀疑什么?是个体,还是药?我想二者可能都有。可我又想,个体怎么了?只不过是一种所有制形式,说明不了什么,只要我诚心诚意去做,终究不是什么问题。那么关键问题在药上,必须把住药的质量这一关,我定下进货原则:大厂、名牌。虽然大厂、名牌利润低一些,还要为进货吃不少苦,但质量让人放心,咱干个体的,不吃苦吃什么呀!在确保药品质量的前提下,我进一步提高服务质量,我恪守着要真诚、友善,而介绍药品,则要真实、科学。我当时也信奉一句话:"顾客永远是正确的,顾客是上帝!"但慢慢我悟出来,对于药品这个专业性极强的商品,多数顾客并不是很清楚,如果一味听顾客的,有时可能会出问题,你只有在心里把顾客当亲人,才可能设身处地地为顾客着想。比如,有人买药只挑贵的,我就劝他们,药不能看贵贱,只有对症才是好药。这样做也许会少挣些钱,但只有真心为顾客着想,你的顾客才会越来越多。

126. 作者开店第一天碰到了什么问题?
     A. 发现了许多假药
     B. 到店里来的人非常少
     C. 顾客对药店不信任
     D. 个体户不允许开药店

127. 作者的经营为什么会遇到问题?
     A. 因为他和顾客发生了争吵
     B. 受当时外部大环境影响
     C. 个体药店多竞争太激烈
     D. 私人药店卖假药的很多

128. 根据文章内容,下面哪一句话是正确的?
     A. 作者觉得经营形式是个大问题
     B. 药品质量问题是关键问题

C. 大厂、名牌产品赚钱比较多

D. 干个体户后,作者非常喜欢吃苦

129. 在开药店的过程中,作者发现:

A. 提高服务质量并不难

B. 顾客永远是对的

C. 不能总是听顾客的

D. 有的顾客不友好

130. 作者觉得开个体药店:

A. 很赚钱

B. 很难赚钱

C. 必须付出很大的努力

D. 必须了解顾客的意见

# 四、综合填空

(40题,30分钟)

## 第一部分

说明:131～154题,每段文字中都有若干个空儿(空儿中标有题目序号),每个空儿右边都有
ABCD四个词语,请根据上下文的意思选择惟一恰当的词语(在答卷上的字母上画一
横道)。

### 131～134

住在日新月异的现代化大都市里,有一项损失就是望不见星空131。高楼大厦132如同白昼的灯光遮蔽了天空。我常问我自己,133是不是越来越狭窄了,目光是不是越来越134了?

131. A. 的　　　B. 吧　　　C. 啊　　　D. 了
132. A. 与　　　B. 并　　　C. 还　　　D. 又
133. A. 心思　　B. 心胸　　C. 心理　　D. 心情
134. A. 低矮　　B. 微小　　C. 短浅　　D. 窄小

### 135～146

每当开考前,考场门口总是聚着不少"陪考者"。这些人人都是考生的父母,135围在考生四周,或帮着提包,或反复叮咛,或再三鼓励,136,考场门口显得十分拥挤。一般来说,考生的心情总是有些紧张的,这时,一种137的气氛,对他们进行自我调节、克服紧张情绪,把心态调整到最佳138是十分必要的。139,陪考的做法,很可能会加重考生的心理负担,影响他们正常水平的发挥。140我所知,绝大部

135. A. 他们　　B. 他　　　C. 这些人　D. 那些人
136. A. 时而　　B. 一时间　C. 突然　　D. 居然
137. A. 开阔　　B. 轻易　　C. 广大　　D. 轻松
138. A. 状态　　B. 情况　　C. 形状　　D. 形势
139. A. 反对　　B. 而且　　C. 相反　　D. 反面
140. A. 从　　　B. 据　　　C. 按　　　D. 由

分考生对陪考<u>141</u>十分反感。他们大都是十八九岁的青年人，十分渴望有一个独立处理自己力所能及的事情的<u>142</u>；可<u>143</u>还像对待小孩子一样，前来陪考，他们的反感在情理之中。

陪考不仅给考场的正常工作带来困难，而且还在一定程度<u>144</u>影响了交通秩序。据说还有一些陪考者是请了假来的，为了陪考<u>145</u>影响了工作，<u>146</u>就更不应该了。

141. A. 并　　B. 却　　C. 正　　D. 也

142. A. 机会　B. 运气　C. 时间　D. 办法
143. A. 我　　B. 他　　C. 他们　D. 你

144. A. 下　　B. 中　　C. 里　　D. 上

145. A. 就　　B. 并　　C. 来　　D. 而
146. A. 其　　B. 那　　C. 它　　D. 此

147～151

这种虚拟宠物<u>147</u>是一个钥匙链，形状如同鸡蛋，上面有一个屏幕，显示的是一只小鸟的图像。奇妙之处在于这只小鸟会在 10 天之内变成一只大鸟，<u>148</u>需要主人按动按钮给它喂食、整理羽毛，对它<u>149</u>安慰，陪它玩耍。它高兴时会<u>150</u>欢快的叫声，如果你对它置之不理，它<u>151</u>慢慢地死去。

147. A. 其实　·B. 真正　C. 真的　D. 真实

148. A. 不过　B. 就　　C. 再说　D. 反而
149. A. 给　　B. 送给　C. 赠　　D. 进行
150. A. 出来　B. 发出　C. 喊出　D. 制造
151. A. 能　　B. 会　　C. 要　　D. 该

152～154

本书深入浅<u>152</u>地介绍了旅游和旅行社会学的基本内容，<u>153</u>人们对假期和旅行的认识及其社会文化效应，并<u>154</u>了研究旅游社会学的一些新方法。

152. A. 出　　B. 进　　C. 去　　D. 来
153. A. 包括　B. 包围　C. 其中　D. 各种

154. A. 说出　B. 建议　C. 提出　D. 认为

## 第二部分

说明:155～170题,每段话中都有若干个空儿(空儿中标有题目序号),请根据上下文的意思在答卷上的每一个空格中填写一个恰当的汉字。

去宜昌,恐怕很多人都会想到要选购一两件紫砂器皿以作纪155,而我买的是一颗花生,一颗用泥做成的花生,放在一堆真花生里难辨真假。朋友的孩子曾上了我一156,拿着那泥花生就想嗑,幸亏被我一把抢了过来。

157～159
尊157的客户:

北京长途电话局复兴门营业大厅3月21日至4月20日进行施158改造,即日起暂停办理各项业务,在此期159客户办理增加、取消、过户、清户等长途电话直拨业务及长话账单查询、"200"电话卡业务,请到长话局其它营业厅办理。

160～162
阎亮是一位高位截肢的残疾人。他身残志坚,乐160向上,他写的诗发表在多种报纸杂161上。他自强不息的精162感动了段志强。

163～167
《粤菜》为"八大菜系丛书"之一,由"广州菜系"、"潮州菜系"、"东江菜系"几部分内容组163,约7.5万字,共156种菜。每种菜都有详细的原料和制作步164的介绍,篇首有粤菜概述,每个菜系前有本菜系的简介,叙述其发165历史、风格、特色。附彩图多幅。全书文字简明、通166易懂、便于操167。

168～170
两年前,因为企168调整,40岁的吴承运从济南市一家纺织企业下169。经过一段痛苦的思想斗170后,吴承运和妻子两人办起了家庭幼儿园。如今,到这里入托的孩子已从最初的3个发展到现在的26个。

# 第六套听力理解文本

## 一、听力理解

### 第一部分

1. 就这些活儿,七八个人就足够了。
   问:说话人是什么意思?
   A

2. 怎么样,老王又出事了吧? 我就知道会这样。他这种人,没法说。
   问:下面哪句话不合乎这句话的意思?
   D

3. 许华这个人总是到什么山唱什么歌,见什么人说什么话。
   问:许华是个什么样的人?
   C

4. 这孩子别提多聪明了!
   问:这个孩子怎么样?
   A

5. 我的意见嘛,这件大小还可以,就是颜色太老气,干脆买件白的吧。
   问:说话人在买什么?
   A

6. 说起小公共汽车来,真是让人欢喜让人忧。要说方便是真方便,你一招手,它就停,可是这么一来,马路上能不乱吗?
   问:说话人认为小公共汽车怎么样?
   D

7. 刘平不太喜欢滑冰,她很喜欢游泳,她姐姐却和她正好相反。
   问:刘平的姐姐有什么爱好?
   B

8. 为等一个从来不准时的朋友,我不得不一整天都待在家里。
问:下面哪句话是正确的?
C

9. 退一万步说,就是落到最后,我也要把这次马拉松比赛跑完。
问:下面哪句话是正确的?
D

10. 说来说去,怎么都是你的理?
问:说话人是什么态度?
C

11. 啊呀,是你把这个盒子打开的吧?你怎么能这么做呢?
问:说话人是什么意思?
A

12. 磁带和光盘能放在这儿吗?我看这儿多少有些潮湿。
问:说话人是什么意思?
B

13. 出国以前要办的事太多了,我恨不得一下子都办完。
问:说话人是什么意思?
B

14. 小华,过马路的时候千万要小心,万一出点事可不是闹着玩儿的。
问:关于小华,下面哪句话是正确的?
A

15. 比赛选手按职业分,百分之十四为政府工作人员,百分之十为工人,百分之四为农民,其余为军人。
问:参加这次比赛的工人占多大比例?
C

## 第二部分

16. 女:到了纽约马上给家里写信,免得我和你爸担心。
男:放心吧,我一到就打电话回来。
问:说话人之间最可能是什么关系?

D

17. 女:我看,下面那间大的给咱爸。
   男:好。我要这间,你去那间。
   问:他们在谈什么?
   B

18. 女:太热了,今天比昨天还热。
   男:可不是吗!昨天最高温度 32 度,今天比昨天又高了 3 度。
   问:今天最高温度是多少?
   A

19. 女:上次小魏犯胃病,大夫让他不要再吃马路边的羊肉串,现在他改了这毛病了吗?
   男:改了? 照吃不误!
   问:关于小魏我们知道哪些情况?
   B

20. 女:周进波今天好像情绪不高。
   男:他早就想当系主任,这回又落选了。
   问:周进波怎么了?
   D

21. 女:看来这次陆正平是要升经理了。
   男:那还用说?
   问:男的是什么意思?
   B

22. 女:我觉得足球赛是最无聊的体育比赛,踢了半天,还是 0 比 0,等于没踢。
   男:谁说不是呢?
   问:男的是什么口气?
   A

23. 男:小强刚才抽烟让我看见了,我说了他一顿。
   女:说他? 你还是先看看自己吧。
   问:女的是什么意思?
   C

24. 女:听说王经理就要离开我们公司了。
   男:再好不过了。

问:男的是什么意思?

B

25. 女:听说这次考试王平考得很不错。

男:那可真不简单,听说题很难呀。

问:男的是什么意思?

B

26. 女:都11点了,推土机还在那儿"轰轰"地响。

男:也不知道什么时候是个头,弄得人做梦都是在盖楼房。

问:说话人在谈论什么?

C

27. 女:这儿这么黑,为什么不开灯?

男:这儿没安灯。这些古庙都是木建筑,又都建在山上,容易遭雷击着火。

问:这里没安灯是出于什么考虑?

B

28. 女:要不是我们提前几分钟来,肯定就坐不上这趟车了。

男:可不是,这趟车不是来早,就是来晚,很多人都有意见。

问:从对话中可以知道什么?

C

29. 女:听说北京冬天最低温度会到零下15度。

男:看来今年得买件羽绒服了。

问:从对话中我们可以知道什么?

C

30. 女:我也想跳,可是不知道步子怎么走。

男:这么多的人,谁会注意呢?

问:男的是什么意思?

D

31. 女:听说今天有一部新片子,可你说,现在去还能买到票吗?

男:买的人可不少。不过,没准儿还有票。

问:男的是什么意思?

C

32. 男:贺飞对你真不错,又给你买了这么贵的项链。

女：是不错，买条项链还得我自己出一多半钱。

问：从对话中我们可以知道什么？

B

33. 女：这个鬼食堂，天天除了饺子就是包子，再不就是面条，让不让人过了？

男：不是还有馒头吗？想吃米饭啊，回你们南方去。

问：食堂不常吃什么？

A

34. 男：你快点，准备去结账了。

女：好吧，你去付钱，我给前台打电话，让他们把行李放到出租车上去。

问：对话可能发生在什么地方？

C

35. 女：明天是小京的生日，送他什么好呢？

男：他最近喜欢上英语了，常常练发音，给他买个录音机吧。

问：从对话中可以知道什么？

C

# 第三部分

36 到 37 题是根据下面一段话：

目前，世界上规定植树节的国家约有四五十个。规定植树节的目的在于推动全社会造林、爱林、护林。中国曾在 1915 年 7 月 31 日规定每年 4 月 5 日为植树节，1929 年又把植树节改在孙中山先生逝世的日子，即 3 月 12 日，以纪念这位一贯重视和倡导植树造林的伟人。1949 年建国后，中国植树造林取得了很大成绩，人大常委会规定仍然把这一天作为中国的植树节。

36. 中国的植树节是哪一天？

C

37. 中国的植树节是怎么来的？

B

38 到 39 题是根据下面一段对话：

女：总统先生，您对我国的访问就要结束了，请问您怎么评价这次访问？

男：我认为这次访问很成功。我和贵国领导人就地区安全问题、两国贸易问题、增加两国领导人之间的互访等问题交换了意见并达成了一致。当然我们在出售武器和亚洲金融危机问题上还存在不同意见，但这并不是最主要的。

女：据报道，贵国有人反对您的这次访问。那么您为什么还要坚持进行这次访问呢？

男：不论你做什么或怎么做，你都会听到反对意见，有时候反对意见也很重要。但就我们两国关系的发展而言,我认为我们应当向前看,而不应该只看过去和分歧。

38. 两国在下面哪些问题上未达成一致?

B

39. 对于国内反对这次访问的意见,总统是什么态度?

B

40 到 42 题是根据下面一段话:

动物学家长期观察,为我们展现了动物睡眠时的千姿百态,令人耳目一新:兔子胆子小,一天打三次盹,每次几秒钟,全天睡眠时间约两分钟。牛不停地吃草和反刍,一天最多睡半个小时。大象往往站着睡觉,将长鼻子弯曲,并卷入嘴里轻轻含着,不让小虫子和老鼠钻进鼻子里去,它的睡眠时间一天不超过三小时,可连续两天不睡觉。狮子吃饱喝足,一天可以呼呼大睡18 个钟头之久。

40. 哪种动物睡觉时间最短?

C

41. 大象是怎么睡觉的?

D

42. 这段文字讲了几种动物睡觉的情况?

C

43 到 44 题是根据下面一段话:

男:张大妈,好长时间没见您了。听说您搬家了?

女:搬到春水小区了,住十八层,从来也没住过这么高。

男:楼房比平房好吧?

女:有好的地方,可是没什么邻居了,想找个人聊天都不容易。三个月了,门对门谁都不认识谁,哪像在四合院的时候,邻居们处得多好。再说,那个地方离集贸市场远,商场又少,买东西可不方便了。早上 5 点电梯还没开,想出门都不行。

男:孩子们喜欢新房吧?

女:他们早想搬家了。他们嫌平房挤、破、不方便,他们和老人的想法不一样。

43. 关于张大妈,下面哪句话是错误的?

A

44. 关于新楼房,下面哪句话是错误的?

B

45 到 47 题是根据下面一段话:

明代家具在中国家具发展史上有着极其重要的地位,其制作达到了非常高的水平,因此正在成为国内家具收藏热中的主要品种。

明代家具大多以珍贵的硬木为材料,不易变形,非常耐用;其制作精美,有突出的中国传统艺术的特点。早在二十世纪二三十年代,明代家具就开始受到家具研究人士和收藏者的关注,现在其收藏价值已被充分肯定。据报道,有一套明代家具在国外的售价达到了八十万美元。美国还有一个专门收藏明代家具的中国古典家具博物馆。目前国内明代家具的价格也越来越高，一只茶几没有数千元难以买到，非一般收藏爱好者所能接受。

45. 这一段话谈的主要内容是什么？

    D

46. 下面哪个不是明代家具的特点？

    A

47. 对于一般爱好者，明代家具：

    B

48 到 50 题是根据下面一段话：

女：李德，这次暑假该回家了吧？多久没回去了？

男：真想回去看看，可我和一家出版社签了合同，写本书，要回家只怕就不能按期完成了。

女：你恐怕有一年没回去看你父母了吧？

男：是啊，不过上次我弟出差来，说父母身体都好，我也放心了。再说家离这儿那么远，旅费也不便宜——我现在经济紧张。

女：抽空也去跳跳舞，打打球，听听音乐会什么的，别把自己弄得太紧张。

男：谢谢你，蔡大姐，咱们单位，你最关心我。

48. 男的暑假不回家的主要原因是什么？

    A

49. 谈话中没有提到哪种娱乐？

    D

50. 说话人之间是什么关系？

    B

# 第六套标准答案

## 一、听力理解

### 第一部分

1. A  2. D  3. C  4. A  5. A  6. D  7. B  8. C  9. D  10. C  11. A  12. B  13. B  14. A  15. C

### 第二部分

16. D  17. B  18. A  19. B  20. D  21. B  22. A  23. C  24. B  25. B  26. C  27. B  28. C  29. C  30. D  31. C  32. B  33. A  34. C  35. C

### 第三部分

36. C  37. B  38. B  39. B  40. C  41. D  42. C  43. A  44. B  45. D  46. A  47. B  48. A  49. D  50. B

## 二、语法结构

### 第一部分

51. C  52. B  53. A  54. B  55. C  56. D  57. B  58. A  59. B  60. B

### 第二部分

61. C  62. D  63. C  64. D  65. A  66. B  67. A  68. B  69. B  70. A  71. B  72. D  73. B  74. A  75. D  76. B  77. D  78. A  79. B  80. D

## 三、阅读理解

### 第一部分

81. B 82. C 83. C 84. C 85. A 86. A 87. A 88. B 89. C 90. A 91. D 92. B
93. B 94. B 95. A 96. C 97. C 98. B 99. D 100. B

## 第二部分

101. C 102. D 103. C 104. B 105. D 106. A 107. C 108. A 109. C 110. D 111. D
112. C 113. B 114. A 115. A 116. C 117. A 118. B 119. C 120. B 121. B 122. B
123. D 124. A 125. C 126. C 127. B 128. B 129. C 130. C

# 四、综合填空

## 第一部分

131. D 132. A 133. B 134. C 135. A 136. B 137. D 138. A 139. C 140. B 141. D
142. A 143. D 144. D 145. D 146. B 147. A 148. A 149. D 150. B 151. B 152. A
153. A 154. C

## 第二部分

155. 念 156. 当 157. 敬 158. 工 159. 间 160. 观 161. 志 162. 神 163. 成
164. 骤 165. 展 166. 俗 167. 作 168. 业 169. 岗 170. 争

# 模拟试卷（七）

# 一、听力理解

(50题,约35分钟)

## 第一部分

说明:1～15题,这部分试题,都是一个人说一句话,第二个人根据这句话提一个问题,请你在
四个书面答案中选择惟一恰当的答案。

例如:第8题,你听到:

第一个人说:……

第二个人问:……

你在试卷上看到四个答案:

A. 七点十分　B. 七点　C. 十点七分　D. 六点五十

第8题惟一恰当的答案是D,你应在答卷上找到号码8,在字母D上画一横道。横道一
定要画得粗一些,重一些。

8.[A]　[B]　[C]　[D]

1. A. 家离公司太远
   B. 公司工作太重
   C. 布置房子很累
   D. 每天下班太晚

   C. 一点儿也不好
   D. 他不清楚

2. A. 银行
   B. 商场
   C. 订票处
   D. 饭店

4. A. 他来得很早
   B. 他没见到他的朋友
   C. 他很晚才见到他的朋友
   D. 他来晚了

3. A. 非常好
   B. 还可以

5. A. 你能来真好
   B. 我去打个电话
   C. 你来得太巧了
   D. 你知道我给你打过电话吗?

6. A. 这道理很简单,你应该明白
   B. 就因为你是孩子,我不说你
   C. 我不批评你,孩子知道为什么
   D. 我不同意你给孩子讲的道理

7. A. 晓凤电脑学得很好
   B. 晓凤电脑学得不好
   C. 晓凤还在学习电脑
   D. 晓凤学电脑更合适

8. A. 我去邮局
   B. 我从朋友那儿来
   C. 我来点几个菜
   D. 一瓶啤酒

9. A. 380 元
   B. 220 元
   C. 80 元
   D. 140 元

10. A. 打车很容易,到公司很不容易
    B. 打车不容易,到公司很容易
    C. 打车很容易,到公司也很容易
    D. 打车不容易,到公司也不容易

11. A. 数学很好,生物也很好
    B. 数学很好,生物不太好
    C. 数学不好,生物却很好
    D. 数学不好,生物也不好

12. A. 那座山比这座山低得多
    B. 两座山高度相同
    C. 两座山都很高
    D. 两座山高度差别不大

13. A. 你们俩不吵架,我也不吵了
    B. 你们说流利了,就告诉我
    C. 这样的事,你们同意,我也没有意见
    D. 你们决定了,就把结果告诉我

14. A. 我们喝了很多酒
    B. 我们只喝了一点儿酒
    C. 我们喝酒没花钱
    D. 我们只喝酒,没吃别的

15. A. 6492364
    B. 6492394
    C. 6275384
    D. 6275834

## 第二部分

说明：16～35题,这部分试题,都是两个人的简短对话,第三个人根据对话提出一个问题,请你在四个书面答案中选择惟一恰当的答案。例如:第22题,你听到:

22. 第一个人说:……

第二个人说:……

第三个人问:……

你在试卷上看到四个答案:

A. 睡觉　B. 学习　C. 看病　D. 吃饭

第22题惟一恰当的答案是C,你应在答卷上找到号码22,在字母C上画一横道。横道一定要画得粗一些,重一些。

22.[A]　[B]　[C]　[D]

16. A. 同事
    B. 母子
    C. 父女
    D. 夫妻

17. A. 孩子不见了
    B. 房间没电了
    C. 灯突然坏了
    D. 电视坏了

18. A. 140 元
    B. 165 元
    C. 150 元
    D. 135 元

19. A. 张华没有考上研究生
    B. 张华想先参加工作
    C. 张华不用参加研究生考试
    D. 张华已经开始上研究生了

20. A. 他好几个星期没去旅游了
    B. 他喜欢长时间出门旅游
    C. 他旅游以前要花很长时间计划
    D. 他几周以前出去旅游了

21. A. 女的在床上睡了半天
    B. 女的很长时间睡不着
    C. 男的觉得天气并不热
    D. 男的很快就睡着了

22. A. 女的在说谎
    B. 好像有人在说谎
    C. 女的穿得很漂亮
    D. 男的不同意女的的看法

23. A. 金老师在小学工作
    B. 女的知道金老师已经结婚了
    C. 男的不知道金老师是谁
    D. 金老师已经有孩子了

24. A. 责备
    B. 称赞
    C. 惊喜
    D. 同情

25. A. 游泳
    B. 旅行
    C. 看书
    D. 爬山

26. A. 她没有学
    B. 她听不懂师傅的话
    C. 师傅不会教
    D. 她怎么都学不会

27. A. 他们两个都不喜欢
    B. 他们两个都喜欢
    C. 父亲觉得演员很差
    D. 母亲喜欢,父亲不喜欢

28. A. 准备去春游
    B. 觉得很累
    C. 很讨厌女的
    D. 心里不快活

29. A. 女的选了很长时间
    B. 男的没和女的一起选
    C. 女的对男的有些不满
    D. 女的正在打电话

30. A. 现在不要结婚
    B. 和晓兰结婚
    C. 和晓丽结婚
    D. 和张芳结婚

31. A. 男的酒喝得多了
    B. 男的的朋友生病了
    C. 男的睡得太晚了
    D. 男的只睡了两个小时

32. A. 参加朋友的生日晚会
    B. 看体育比赛
    C. 看马戏表演
    D. 还没有考虑

33. A. 非现实的
    B. 恐怖的
    C. 武打的
    D. 爱情的

34. A. 病房
    B. 药店
    C. 健身房
    D. 手术室

35. A. 公路很长,修路的时间很短
    B. 公路很短,修路的时间也很短
    C. 公路很短,修路的时间很长
    D. 公路很长,修路的时间也很长

第三部分

说明:36～50题,这部分试题,你将听到几段简要的对话或讲话。每段话之后,你将听到若干
问题,请你在四个书面答案中选择惟一恰当的答案。

例如:第38～39题,你听到:

第一个人说:……

第二个人说:……

第三个人根据这段对话提出两个问题:

38. 问……

你在试卷上看到四个答案:

A. 食堂　B. 商店　C. 电影院　D. 去商店的路上

根据对话,第38题惟一恰当的答案是D,你应在答卷上找到号码38,在字母D上画一
横道。横道一定要画得粗一些,重一些。

38.[A]　[B]　[C]　[D̶]̶

你又听到:

39. 问……

你在试卷上看到四个答案:

A. 学习　B. 看电影　C. 吃饭　D. 买东西

根据对话,第39题惟一恰当的答案是B,你应在答卷上找到号码39,在字母B上画一
横道。横道一定要画得粗一些,重一些。

39.[A]　[B̶]̶　[C]　[D]

36. A. 吴国人
　　B. 秦国人
　　C. 楚国人
　　D. 鲁国人

37. A. 是一位政治家
　　B. 是一位诗人
　　C. 是一位爱国者
　　D. 是一位将军

38. A. 被国王处死的
　　B. 自杀身亡
　　C. 在战争中战死
　　D. 生病而死

39. A. 端午节的来历
　　B. 屈原之死
　　C. 屈原的一生
　　D. 龙舟与粽子

40. A. 夫妻
    B. 恋人
    C. 父女
    D. 母子

41. A. 婚姻
    B. 教育
    C. 工作
    D. 家庭

42. A. 男的和女的在吵架
    B. 男的在和女的开玩笑
    C. 女的很同情男的
    D. 女的不太同意男的的看法

43. A. 1992年奥运会的获奖情况
    B. 获奖运动员的情绪反应
    C. 运动员需要心理学家的帮助
    D. 如何成为奥运会冠军

44. A. 因为他们的心理有问题
    B. 因为他们觉得他们的运气不好
    C. 因为获得冠军很困难
    D. 因为他们差一点就可以达到目标

45. A. 比赛时总是很高兴
    B. 因为不是第一名多少有些难过
    C. 目标通常不是很高
    D. 通常比第一名的水平低很多

46. A. 头发脱落很严重
    B. 常常感到头疼
    C. 觉得自己压力太大
    D. 住院后查不出病因

47. A. 她是一个负责人
    B. 她不愿比别人差
    C. 产品销售情况不太好
    D. 工作时间太长

48. A. 一个
    B. 二个
    C. 六个
    D. 七个

49. A. 木料有问题
    B. 沙发布有问题
    C. 合同有问题
    D. 退款有问题

50. A. 接受沙发公司建议
    B. 退款
    C. 修改合同
    D. 自己做沙发

# 二、语法结构

(30题,20分钟)

## 第一部分

说明:51~60题,在每一个句子下面都有一个指定词语,句中 ABCD 是供选择的四个不同位置,请判断这一词语放在句子中哪个位置上恰当。

例如:

55. 我们 A 一起 B 去上海 C 旅游 D 过。

　　　　没有

"没有"只有放在句中 A 的位置上,使全句变为"我们没有一起去上海旅游过",才合乎语法。所以第 55 题惟一恰当的答案是 A,你应在答卷上找到号码 55,在字母 A 上画一横道。横道一定要画得粗一些,重一些。

55. [A] [B] [C] [D]

---

51. A 团体比赛 B 结束以后,他 C 参加了 D
个人项目的比赛。

　　　　接着

52. A 到中国以后,B 我 C 提高了 D 汉语水
平,又了解了中国文化,收获非常大。

　　　　既

53. 我们五年没见,这次 A 见面,B 他 C 是
D 老样子。

　　　　仍旧

54. A 这孩子只有 B 七、八岁,C 说起话来
D 挺有逻辑的。

不过

55. 我们别 A 再等他了,我 B 想他 C 不 D
来了。

　　　　会

56. 他 A 今年夏天 B 和爸爸 C 一起 D 去农
场。

　　　　没有

57. 你这么高声叫嚷,A 说明 B 自己 C 理 D
亏。

　　　　恰恰

58. 说起 A 孩子报志愿的事,他禁不住叹 B 一口 C 气 D。

了

59. 你和这种 A 不讲道理 B 人讲 C 道理一点 D 用都没有。

60. 李建的所作所为 A 在座的 B 人 C 吃了 D 一惊。

令

## 第二部分

说明:61～80 题,每个句子中有一个或两个空儿,请在 ABCD 四个答案中选择惟一恰当的填上(在答卷上的字母上画一横道)。

例如:

67. 我昨天买了一_____钢笔。

A. 件　　B. 块　　C. 支　　D. 条

我们只能说:"我昨天买了一支钢笔",所以第 67 题惟一恰当的答案是 C,你应在答卷上找到号码 67,在字母 C 上画一横道。横道一定要画得粗一些,重一些。

67.[A]　　[B]　[C]　[D]

61. 你这_____衣服的颜色是今年的流行色吧?

A. 条

B. 位

C. 件

D. 种

62. _____经济等方面的因素,习惯上,人们把陕西、甘肃归于中国西部。

A. 由于

B. 在于

C. 对于

D. 关于

63. 在现代社会里,每个人都可以_____自己喜欢的方式生活。

A. 用

B. 据

C. 按

D. 由

64. 听说,这次_____录用的人都会得到高薪。

A. 被

B. 使

C. 把

D. 给

65. 尽管这种车外形不是很漂亮,质量____很好。
   A. 也
   B. 但
   C. 而
   D. 却

66. 多亏了刘老师,我现在的发音_____这么好。
   A. 就
   B. 才
   C. 会
   D. 要

67. 既然你打心眼儿里爱她,_____我们作父母的也就不再说什么了。
   A. 还是
   B. 那么
   C. 就是
   D. 可是

68. 在主席正式出访之前,两国之间还有许多具体问题需要_____。
   A. 检讨
   B. 摩擦
   C. 协商
   D. 肯定

69. 王芳毕竟是第一次参加演讲比赛,表情_____。
   A. 不一点自然
   B. 不自然一点
   C. 有点不自然
   D. 不自然有点

70. _____维护消费者的合法权益,消费者权益保护协会在各地相继成立。
   A. 为了
   B. 因为

C. 由于
D. 既然

71. 最近我们_____北京和上海两地青年的择业观进行了调查。
   A. 为
   B. 对
   C. 把
   D. 在

72. 每个学期一开始总要下个天大的决心,到期末这决心连影儿都没了,你什么时候才能改了这种_____头蛇尾的毛病呢?
   A. 虎
   B. 龙
   C. 牛
   D. 山

73. 你现在对电脑简直是着了魔,一天到晚连饭也_____吃。
   A. 顾不得
   B. 恨不得
   C. 舍不得
   D. 怪不得

74. 谁都_____。
   A. 对自己故乡的方言会怀有特殊的一种感情
   B. 会对自己故乡的方言怀有一种特殊的感情
   C. 会对故乡的方言怀有自己一种的特殊感情
   D. 对自己故乡的方言会一种特殊感情的怀有

75. 他打算_____这十台电脑捐给山区的希望小学。
   A. 将

B. 用

C. 以

D. 叫

76. 这份报告尖锐_____尖锐,可是对我
们以后改善管理制度大有帮助。

A. 而

B. 是

C. 了

D. 不

77. 在这个饭店,如果一个服务员_____
客人伸手要小费,将会受到严厉的处
罚。

A. 往

B. 向

C. 对

D. 从

78. 你先把我说的意思记_____,回头再

整理成文件。

A. 上来

B. 起来

C. 出来

D. 下来

79. 学校已经放寒假了,校园里_____。

A. 安静安静

B. 安安静静的

C. 安静静的

D. 很安安静静

80. _____我去你那儿,_____你来我
这儿,怎么都成。

A. 又……又……

B. 或者……或者……

C. 也……也……

D. 是……是……

# 三、阅读理解

(50题,60分钟)

## 第一部分

说明:81~100题,每个句子中都有一个划线的词语,ABCD 四个答案是对这一划线的词语的不同解释,请选择最接近该词语的一种解释(在答卷上的字母上画一横道)。

81. 唱昆曲是她的<u>拿手戏</u>。
    A. 擅长的节目
    B. 京剧
    C. 杂技
    D. 戏剧

82. 你可不要<u>轻视</u>普通的感冒啊!
    A. 不在意
    B. 看不起
    C. 太担心
    D. 想不开

83. 丝绸光质量好不行,染色方面也有很多讲究。
    A. 很
    B. 只
    C. 光泽
    D. 颜色

84. 我<u>宁愿</u>与朋友们一起聊聊天,散散步,或者干脆闭门读书。

85. 你关于史前人类生活状况的那篇文章<u>恐怕</u>会引起争议。
    A. 可能
    B. 一定
    C. 害怕
    D. 不一定

86. 你不多<u>碰几次钉子</u>,怎么能变成一个真正的男子汉呢?
    A. 上几次当
    B. 经常锻炼身体
    C. 遇几次挫折
    D. 受几次伤

87. 我和大家都一样,你别给我<u>穿小鞋</u>。
    A. 照顾我

B. 为难我

C. 给我小号的鞋

D. 把我当小孩看

B. 不应该办

C. 不想办

D. 办得不好

88. 请你们不要在车间抽烟。

A. 生产现场

B. 公共汽车

C. 候车大厅

D. 汽车里

89. 在这样的形势下,文学的繁荣是必然的。

A. 热闹

B. 衰退

C. 恢复

D. 兴旺

90. 谢谦原来的工作单位要坐班,离家又远,所以他才调到这儿。

A. 坐着工作

B. 坐着车去工作

C. 每天按规定时间上下班

D. 每天都长时间工作

91. 你说这样的话,显得太小气了吧!

A. 心胸狭窄

B. 生气

C. 小孩脾气

D. 不够大胆

92. 目前,在年轻人中出现了一种超前消费的倾向。

A. 问题

B. 习惯

C. 方式

D. 趋势

93. 说实话,这件事我看可不好办。

A. 很难做

94. 没用的东西多便宜都不要,有用的东西多贵都得买。

A. 能

B. 会

C. 要

D. 想

95. 如果能抓住对方的把柄,那事情就比较容易处理了。

A. 情况

B. 错误

C. 性格

D. 伙伴

96. 这种疾病非常危险,必须立即采取措施,防止传染。

A. 办法

B. 计划

C. 控制

D. 方案

97. 期末考试后,学校处分了一些学生。

A. 奖励

B. 检查

C. 打分

D. 惩罚

98. 我觉得你的观点很不清楚。

A. 眼睛

B. 视力

C. 看法

D. 地方

99. 与其去长沙,你还不如添点钱去桂林呢。

A. 省
B. 加
C. 存
D. 赚

A. 很着急地
B. 不情愿地
C. 很关心地
D. 很担心地

100. 他迫切要求到南方去工作。

# 第二部分

说明:101～130题,每段文字后都有若干个问题,每个问题都有 ABCD 四个答案,请快速阅读并根据它的内容选择惟一恰当的答案(在答卷上的字母上画一横道)。

101—102

　　根据全国人大常委会今年执法检查工作的安排,全国人大常委会食品卫生法执法检查组将于 4 月 8 日～4 月 13 日对北京市贯彻实施《中华人民共和国食品卫生法》的情况进行检查。为了便于广大市民反映情况和意见,检查组将设立两部热线电话,开通时间自 4 月 6 日起至 4 月 13 日中午 12 时止。电话:64223745、65223746。请市民们踊跃拨打。

103—104

　　北京笼养画眉不少于 20 万户,而要获得一只外形漂亮、声音婉转的画眉鸟,则要养 20 只作为挑选基础。以此计算,北京有上百万只画眉困在笼中。画眉不仅是一种观赏鸟,更是一种捕食森林害虫的益鸟。捕捉画眉,不但损害了鸟语花香的环境,也会破坏自然界的生态平衡。4 月 1 日至 7 日是北京第 15 个爱鸟周,希望大家变在家里赏鸟为到户外观鸟,变一人之乐为万人之乐。

101. 这最可能是一则
　　A. 报道
　　B. 公告
　　C. 广告
　　D. 海报

103. 关于画眉,下面哪一点没有提到?
　　A. 很难饲养
　　B. 叫声很好听
　　C. 很好看
　　D. 对树木有好处

102. 设立热线电话的目的是:
　　A. 宣传卫生法
　　B. 介绍和卫生法有关的情况
　　C. 了解存在的问题
　　D. 检查食品卫生

104. 这段文字的主要意思是:
　　A. 北京目前养画眉的情况
　　B. 请大家不要伤害画眉
　　C. 请大家多到户外看鸟

D. 请大家给画眉自由

因是心理、情绪的扭曲变化,造成中枢神经系统的功能紊乱,进而影响内分泌、免疫功能等,由此诱发多种疾病。

我们经常可以看到,说谎者常常故作镇静,甚至理直气壮,但这是以精神压抑为代价的。长此以往,形成习惯,会使精神处于沮丧和焦虑之中,并造成食欲下降。医学工作者为说谎者描绘了"症状图":精神萎靡、内心不安、担惊受怕。而一旦谎言被揭穿,说谎者的另一幅"尴尬图"是:羞愧难当、心烦意乱、惧怕后果、噩梦连连。这两幅"图",形象生动地描绘出了说谎者从心理疾患的产生到引起生理病态反应的微妙过程,这对说谎者不能不说是一种警示。

105～107

最近,一对去峨嵋山旅游的澳大利亚情侣丢了一只贵重的皮包,里边有数千美金和护照等物品。到当地公安机关报案后,不久,失物就完璧归赵了。原来,是一只猴子拾到这对情侣丢失的一个苹果后,准备归还,却被他们扔来的石头打中。猴子一气之下就趁他们接吻时没注意,悄悄拿走了他们的皮包。

105. 猴子是怎么得到皮包的?

　　A. 抢走的

　　B. 偷走的

　　C. 拾到的

　　D. 要走的

108. 这段文字的主要意思是:

　　A. 老实人不再吃亏

　　B. 哪些人容易说谎

　　C. 说谎是一种心理疾病

　　D. 说谎的后果

106. 根据本文,下面哪句话是正确的?

　　A. 猴子主动归还了皮包

　　B. 猴子常常偷苹果

　　C. 情侣对猴子不友好

　　D. 猴子用石头打人

109. 本文没有提到说谎者哪方面的情况?

　　A. 看起来并不紧张

　　B. 说谎的原因

　　C. 说的话好像很有道理

　　D. 精神上的痛苦

107. 根据本文,这只猴子:

　　A. 很危险

　　B. 喜欢拿人的东西

　　C. 对人是友好的

　　D. 喜欢开玩笑

110. 有关说谎者的两幅"图"说明:

　　A. 说谎者令人厌恶

　　B. 说谎者不值得同情

　　C. 说谎者是怎么被发现的

　　D. 说谎会引发心理与生理疾病

108～110

都说老实人吃亏,现在看来这种说法可以修正了。一位著名的心理学家发现,有些身体上的疾病,如溃疡病、慢性头痛、心慌等,有可能是因经常说谎引起的。其直接原

111～112

刚到北京的时候,我向朋友介绍我是泰国人,差不多有60%的人会问我类似的问

题:泰国是不是有很多的人妖?泰国的妓女是不是很多也不犯法?泰国的毒品……天啊!这些问题我从来没有想过,不知该怎样回答,如果要解释也不是一两句就能说清楚的。所以我当时很尴尬,只好用一个微笑代替全部的答案。两个月前,有记者来采访留学生,题目是"留学生的一天"。可当采访我的时候,问我的问题不是"我的一天",而是我常被问到的那些问题。听到这些问题我很反感,每一个国家都有优点和缺陷,看一个国家不能只看一个方面。现在泰国是个什么样的国家,希望大家有机会去看看她的真实面貌,能够全面地了解泰国。

111. 对于人们常问的问题,作者:

　　A. 有兴趣但不知怎样回答

　　B. 不愿回答

　　C. 觉得很可笑

　　D. 觉得和他的生活无关

112. 下面哪句话用作这段话的题目最好?

　　A. 一个泰国人在北京的生活

　　B. 请到泰国去旅游

　　C. 难道这就是你们印象中的泰国?

　　D. 留学生的一天

113~116

　　形似驴子的斑马是非洲特有的哺乳动物,躯体上分布着黑白相隔的条纹,因此得名为"斑马"。斑马身上的条纹因品种有异而宽窄不一。据专家研究,条纹的形成与体内骨骼有关。直形条纹类似脊椎骨,腹旁条纹有如肋骨。这些美丽的条纹可视作同种之间的辨识标记,也可达到吸引异性的目的。

　　不过更重要的是,斑马以条纹作为适应环境防卫敌人的保护色。由于在阳光和月光的照射下,黑白两种颜色对光线的吸收与反射有所不同,能够打破斑马身形的轮廓,使

其与周围环境浑然一体,很难区分。即使在近距离之内,它如果不走动的话,也不易被发现。这就可以使斑马避免被猛兽伤害。经过长时间的生存竞争,那些条纹不明显的斑马,逐渐被猛兽吃掉;条纹显著的斑马则幸免于难,一代代传下来,进化成现在人们所看到的斑马。

113. 斑马身上的条纹:

　　A. 黑的多白的少

　　B. 白的多黑的少

　　C. 品种不同颜色深浅不同

　　D. 品种不同粗细不同

114. 斑马身上的条纹与其骨骼:

　　A. 有直接关系

　　B. 长短完全一致

　　C. 粗细完全一致

　　D. 形状完全一致

115. 关于条纹,下面哪句话不对?

　　A. 可以吸引异性

　　B. 可以使斑马与周围环境成为一体

　　C. 是两只斑马是否属同一品种的根据

　　D. 可以使敌人感到害怕

116. 条纹不明显的斑马逐渐减少的原因是:

　　A. 品种不好

　　B. 不能吸引异性

　　C. 易被猛兽发现吃掉

　　D. 不适应气候变化

117~120

　　生物个体从诞生到死亡所经历的时间

长度称为"寿命"。人类个体能够存活的寿命大致上是固定的。不仅是人类,其他动物的最长寿命也是依其物种而有固定的限度。当然,生物只能生存于某种特定环境之中,由于脱离了这种环境而引起的死亡,必须和最长寿命的问题分开来考虑。

但是,在植物个体身上则很难确认在动物身上所看到的一定长度的寿命。例如,在春天撒下牵牛花的种子,到了夏天便会盛开花朵并结出种子,入秋之后立即枯萎。依此看来,似乎可以认定牵牛花的寿命只有半年。但是,如果把萌芽的牵牛花一直放在暗处使它照不到光线,则即使在长出双子叶的阶段也会开花结实枯萎。这时,它的寿命就变成只有短短几个星期而已。可如果把萌芽的牵牛花移入温室,一到了夜晚就点亮电灯,那么它将始终不会开花而一股劲儿地伸蔓发叶,持续成长好几年。像这样,牵牛花会依个体所处环境的条件而明显改变一生的长度。不只是牵牛花,许多植物都呈现出类似的性质,而这对于动物来说似乎是不大可能的。

117. 动物的寿命主要决定于:
A. 健康
B. 物种
C. 食物
D. 环境

118. 生物因不适应某种特定环境而导致的死亡与寿命问题:
A. 都很重要
B. 都值得研究
C. 互相影响
D. 不可混淆

119. 植物与动物寿命相比:
A. 动物寿命的长短基本是固定的
B. 植物总是活得更长

C. 人可自觉地延长寿命
D. 人比很多植物活得更长

120. 作者举牵牛花为例的用意是说明:
A. 植物寿命因环境而大不相同
B. 一些植物很短命
C. 牵牛花是一种长寿植物
D. 牵牛花与动物很相似

121~124
社会在飞速地发展着,生活在日新月异地变化着,而我们人与人之间的关系,却正一步步地变得难堪与陌生。前些年,我们爱串门,并不是因为有什么事,不过是为了坐坐、聊聊而已。这就像我们乡下人至今仍保留着的一种传统一样,逢年过节时,大家都爱到亲戚家走走,并不是为了什么事;而在平时,左邻右舍的,更是时不时地凑到某家院子里吹吹牛,或者喝一两碗茶,也不见得真有什么事。可如今不同了,尤其是在都市里,一家便像一个牢笼,或者像一个衙门,你家的人不会随便到别家去,别家的人也不会随便到你家来。当然,人与人之间的来往仍是接连不断,不过再不是为了闲坐瞎侃什么的,而是为了各种各样的"事"儿。比如说孩子入学的事,比如说老婆调动的事,再比如说,自己升官和别人拍马屁的事,等等。因为都是为了"事",所以来来往往的虽然热热闹闹,可人们却少了从前的真情、自然与轻松。因为有"事"惯了,所以突然间某人找上门来竟然说并不是为了何事时,我们竟一点不敢相信,以为人家不相信自己,于是便慌张起来,害怕起来。

121. 作者认为现在的人际关系:
A. 太复杂
B. 变化太快
C. 太盲目
D. 令人尴尬

122. 谈到过去的人际关系,作者的态度是:

    A. 赞赏

    B. 嘲笑

    C. 矛盾

    D. 厌恶

123. 关于过去和现在的人际交往,下面哪句话不正确?

    A. 前者很随便

    B. 后者比较疏远

    C. 后者不如前者多

    D. 后者目的性太强

124. 读了这篇文章,我们可以感觉到作者的心情是:

    A. 害怕

    B. 惊讶

    C. 难过

    D. 愤怒

125～130

    爷爷有一个孙子一个孙女,又聪明又漂亮,活泼得像两只小鸟儿。爷爷非常疼爱他们,犹如眼珠。

    孙子对爷爷说:"我要天上飞的老鹰!"

    爷爷想了想,就用纸给他糊了个风筝。

    孙女说:"我要一座高高的大楼!"

    爷爷脑瓜一转,就给她买了一盒积木。你要孙悟空的金箍棒,他给你变出个面杖;你要宝葫芦,他拿来了两个盛水的葫芦瓢;你要星星,他就在纸上给你画;你要吃月亮,他就给你递来一个香蕉……

    当然,爷爷并不是一味地宠着自己的"眼珠"。爷爷教他们算术,教他们写字背诗。爷爷让孙子把掉在桌子上的饭粒拣起来,孙子瞅瞅爷爷,拣起来塞到了嘴里。爷爷让孙女把弄脏的花手绢自己洗干净,孙女虽然不太情愿,但还是把手绢泡在了水里。

    但是有一天,爷爷犯难了。那是两个孩子在看电视时,看见了《动物世界》里的一只大老虎,他们就央求爷爷给他们买个老虎。也许是爷爷晚上多喝了点儿酒,竟答应了。答应了之后,爷爷犯了愁,他到哪儿去买老虎呀。这次两个"眼珠"明确提出,必须是一个"活"的、能吃东西的老虎。

    孩子的爸爸妈妈见爷爷这么认真,就劝老人说:"小孩子的话还能当真?告诉他们爷爷是说着玩的,他们再闹就搂他们!"

    可是爷爷却一本正经地说:"使不得,使不得,说出来的话就要算数。"

    "算数?您到哪儿去买老虎?"孩子的爸爸妈妈嘴上不说,心里暗笑。

    第二天下午,爷爷从外面抱着一只小筐回家来,他高兴地叫着孙子孙女:"快来看呀,爷爷把老虎买来啦!你们看,这是活的,会叫,还会吃东西呢!"

    全家人都看见了,那是一只漂亮的小猫!

    两个孩子别提多高兴了。

125. 孩子要吃月亮,爷爷为什么给他们香蕉?

    A. 他没有月亮,只好给他们吃水果

    B. 香蕉有点像月亮,可是能吃

    C. 爷爷想让孩子们忘了他们的要求

    D. 他用这个行动教育孩子

126. 为什么这段文字把孩子叫做两个"眼珠"?

    A. 因为他们是一个男孩一个女孩

    B. 因为爷爷很爱他们

    C. 因为他们很好奇

    D. 因为他们很聪明

127. "爷爷犯难了"是什么意思?

    A. 爷爷身体不舒服

    B. 爷爷出问题了

C. 爷爷遇到了难题

D. 爷爷犯错误了

128. 孩子的父母认为

　　A. 爷爷应该买一个玩具

　　B. 爷爷不应该答应孩子

　　C. 爷爷不应该打孩了

　　D. 爷爷不会弄到老虎

129. 爷爷为什么买了一只猫？

　　A. 他骗孩子

B. 他想不出办法

C. 他知道孩子们喜欢猫

D. 用来代替与猫很像的老虎

130. 从这篇文章可以看出：

　　A. 爷爷太溺爱孩子

　　B. 爷爷对孩子说话算数

　　C. 爷爷常和孩子说着玩

　　D. 爷爷很会骗孩子

# 四、综合填空

(40题,30分钟)

## 第一部分

> 说明:131~154题,每段文字中都有若干个空儿(空儿中标有题目序号),每个空儿右边都有
> ABCD四个词语,请根据上下文的意思选择惟一恰当的词语(在答卷上的字母上画一
> 横道)。

131~134

131 人们生活水平的不断提高,
追求高质量的生活已成为时尚。近年
132,大中城市淘汰133 的耐用消费品
如何处理,已成为困扰广大134 的一
大难题。

131. A. 随着　　B. 有着　　C. 趁着　　D. 跟着

132. A. 前　　　B. 后　　　C. 下　　　D. 来

133. A. 上去　　B. 下去　　C. 下来　　D. 上来

134. A. 农民　　B. 人们　　C. 人口　　D. 居民

135~142

按照自己的特点135 的作息时间
表固然有136 优越性,但有时却与考
试期间的作息时间不一致。而人体的
节律具有"惯性",很难一下子完全调
整137,所以必须138 行动,以便使自
己各方面的情况,在考前调节到最理
想的139。比如猫头鹰型的同学,在考
前一周就要有140 地早起床,在八点
之前度过头脑迷糊的那一阶段,使得
考卷141 下来的时候,正是142 头脑最
清醒的时候。

135. A. 制造　　B. 创造　　C. 制定　　D. 创作

136. A. 其　　　B. 之　　　C. 它　　　D. 那

137. A. 过去　　B. 过来　　C. 上来　　D. 下去

138. A. 以前　　B. 提前　　C. 早就　　D. 近来

139. A. 形状　　B. 标准　　C. 状态　　D. 样子

140. A. 意识　　B. 意义　　C. 意思　　D. 意志

141. A. 发　　　B. 出　　　C. 送　　　D. 给

142. A. 我　　　B. 她　　　C. 他　　　D. 你

143～149

143到来了,湖上144有了人声、鸟声,新的一天开始了,大雁又平安145度过了一夜。我们的身边,围了一大146人,有147情况的,有表扬这一义举的,也有关切地用望远镜与我们一块儿观察大雁的。人们的热情148了我们的信心。我们在心底祈祷:149小雁们平安出世。

143. A. 夜晚　　B. 黎明　　C. 大早　　D. 阳光
144. A. 渐渐　　B. 暗暗　　C. 悄悄　　D. 默默
145. A. 的　　　B. 得　　　C. 地　　　D. 着
146. A. 列　　　B. 队　　　C. 群　　　D. 伙
147. A. 咨询　　B. 询问　　C. 提出　　D. 请问
148. A. 增强　　B. 提高　　C. 上升　　D. 加深
149. A. 愿　　　B. 想　　　C. 要　　　D. 把

150～154

早在1950年,150已有人致力151开发月球之旅,152受诸多条件限制未能"成行"。随着科技的发展,这一计划已153是幻想。目前,官方的一项宇航科研项目就是如何简化踏上太空旅行的第一154。

150. A. 就　　　B. 正　　　C. 早　　　D. 才
151. A. 了　　　B. 在　　　C. 到　　　D. 于
152. A. 只要　　B. 只是　　C. 只有　　D. 只能
153. A. 不再　　B. 再也　　C. 不能　　D. 不用

154. A. 段　　　B. 套　　　C. 条　　　D. 步

## 第二部分

说明：155～170题，每段话中都有若干个空儿（空儿中标有题目序号），请根据上下文的意思在答卷上的每一个空格中填写一个恰当的汉字。

155～158

为庆155北京市第八十五中学建校四十156年，我校定于10月25日早9时举办校庆活动。敬请各位曾在我校工作过的157仁及曾就读于我校的各届校友互相转告，届时光158。

北京八十五中学校庆筹委会

159～163

谭家菜是清末民初由谭宗浚父子始159的，至今已有近百年的历史，是惟160流传保存下来由北京饭店独家经营的著161传统官府菜。它博采众菜系精华，多以烧、烩、焖、蒸等为主，少爆炒、不抖勺，不翻勺，讲162原汁原味，是民族饮食文化的宝贵遗163。

164～166

人到中年，分到一套好房子，心里别164有多高兴了。在拿到钥匙前半个月我就开始激165了，想着房子到手后该如何装修。前几次搬家，我们只是简单地刷了点石灰水，请油漆工重新漆一下门窗，花费无几，住进去也蛮舒166。这次可不同了，我们决定要好好装修一下。

167～170

中国旅行总社国内旅游发展部在春暖花开的季167里，推出"周末植树登山一日游"活动。同时，为方168京城百姓"五一"节旅游，中旅社还设169了多条旅游路线。热170咨询：64644597。

# 第七套听力理解文本

## 一、听力理解

### 第一部分

1. 买了房也有买了房的麻烦,每天早上天不亮就得起床,然后坐两个小时的班车去上班,进了公司什么都没干,人已经又累又困,可是还有下班回去的两个小时呢。
   问:说话人有什么问题?
   A

2. 小姐,我存1000,剩下的100,您给我换8张10块的,5张2块的,10张1块的。
   问:说话人在什么地方?
   A

3. 大伙儿都觉得那个电视剧好看,我也看了,我不知道有什么好看的。
   问:说话人觉得电视剧怎么样?
   C

4. 要不是碰到一个老朋友,我早就来了。
   问:下面哪句话是正确的?
   D

5. 你来得正好,知道吗,我正要给你打电话呢!
   问:这句话是什么意思?
   C

6. 我不说你什么,可这道理连孩子都懂。
   问:这句话是什么意思?
   A

7. 晓凤还是学电脑的呢,我看是白学了两年。
   问:这句话告诉我们什么?
   B

8. 请问,您来点儿什么?
   问:这句话怎么回答?
   D

9. 我们有甲、乙、丙、丁四种足球票,每种价格相差 80 元。
   问:如果甲种每张 300 元,乙种每张多少钱?
   B

10. 好容易打了辆出租车,又遇上堵车,好不容易才到了公司。
    问:说话人是什么意思?
    D

11. 安咏的数学在班里总是数一数二的,虽然生物课成绩一般。
    问:安咏的成绩怎么样?
    B

12. 你看,地图上标着呢,这座山不比那座山高多少。
    问:说话人是什么意思?
    D

13. 这样吧,你们俩先说好,然后再通知我。
    问:说话人是什么意思?
    D

14. 那天光白酒我们就喝了两瓶。
    问:说话人是什么意思?
    A

15. 快打个电话,让他们都过来,姐姐的电话号码是 6275834,哥哥的是 6492364。
    问:姐姐的电话号码是多少?
    D

## 第二部分

16. 男:晚上几个同事让我和他们一起去吃饭,可能晚一点回来。
    女:你忘了今天是你的生日了吗?我和孩子还准备给你庆贺一番呢。
    问:说话人可能是什么关系?
    D

17. 男:您好,请问,是您房间的灯坏了吗?

　　女:灯没坏,是突然停电了,可是我的孩子正想看电视呢。

　　问:发生了什么事?

　　B

18. 女:请问,这件毛衣怎么卖?

　　男:本来150,这不是快过年了吗,我们商场所有商品都便宜10%。

　　问:这件毛衣到底多少钱?

　　D

19. 女:张华参加研究生考试了吗?

　　男:没有。学校觉得他成绩不错,保送他上了,不过要先工作半年。

　　问:从对话中我们可以知道什么?

　　C

20. 女:听说苏明开特别喜欢旅游。

　　男:是啊,他常常一出去就是几个星期。

　　问:关于苏明开我们可以知道什么?

　　B

21. 女:昨天那么热,我躺在床上半天睡不着。

　　男:我还不是一样?

　　问:下面哪句话是正确的?

　　B

22. 女:瞧那人西装革履的,哪里像个骗子?

　　男:就是这样才像呢!

　　问:下面哪句话是正确的?

　　D

23. 女:我以为金老师还没结婚呢。

　　男:谁说的?她的孩子都上小学二年级了。

　　问:从对话中我们可以知道什么?

　　D

24. 男:你要想提升,就给主任送几瓶好酒,准没错。

　　女:嗬,没想到你也学会这一套了。

　　问:女的是什么态度?

　　A

25. 男：听说张学东特别喜欢游泳。

　　女：没错，不过他喜欢在书海里游。

　　问：张学东喜欢做什么？

　　C


26. 男：晓婉，最近车学得怎么样了？

　　女：咳，别提了。师傅倒还不错，可是我说什么也学不会。

　　问：女的是什么意思？

　　D


27. 女：你父母觉得那个新上演的话剧怎么样？

　　男：我妈觉得不错，我爸觉得语言糟透了。

　　问：男的的父母觉得那个话剧怎么样？

　　D


28. 女：小宋，天气这么好，怎么不春游去？

　　男：多累人哪，没意思，这会儿干什么都觉得没意思。

　　问：小宋现在怎么样？

　　D


29. 男：你挑来挑去挑了这么久结果挑了这个，我好像记得报上说这种电话机质量不好。

　　女：那你怎么不早说？坐在那儿什么也不管。

　　问：下面哪句话是错的？

　　D


30. 女：你看咱们的儿子，女朋友一大堆，可不要这么早就结婚。那个叫晓丽的长得最漂亮；晓兰性子好，人也聪明；可是咱们儿子好像最喜欢和张芳待在一起。

　　男：婚姻可是终生大事，关键是两个人要合得来。

　　问：母亲希望儿子现在怎么做？

　　A


31. 女：你看上去精疲力尽的，怎么了？

　　男：昨天我请客，一个朋友喝多了，只好送他回家，两点才休息。

　　问：从对话中我们可以知道什么？

　　C


32. 女：周末有什么打算？去首都体育馆看马戏表演怎么样？

　　男：我们不是要去参加李建平的生日晚会吗？你怎么忘了？

问：他们周末打算做什么？

A

33. 女：又是武打片、言情片，我觉得一点儿也不现实。

男：难道你的恐怖片就现实吗？

问：女的喜欢什么电影？

B

34. 女：又给你爸买药来了？他手术后身体恢复得怎么样了？

男：还不错，这是药方。

问：对话可能发生在什么地方？

B

35. 男：这条高速公路二百公里长呢。

女：是呀，用了两年时间就建成了。

问：说话人是什么意思？

A

# 第三部分

36 到 39 题是根据下面一段话：

农历五月初五，是中国民间传统的端午节。在中国人心中，这个节日是来纪念战国时期伟大爱国诗人屈原的。屈原曾经是楚国的大臣，他看出了国家的危机，屡次向楚王提出改革内政外交的意见，可是楚王不但不听他的忠告，反而免去他的官职，把他赶出了京城。后来秦国攻破了楚国的都城，屈原感到自己的一切希望都破灭了，就在五月五日跳进湖南境内的汨罗江自尽了。传说当地人听到这个不幸的消息后，争先恐后地划着船去抢救。人们不忍看到这位伟大的爱国诗人被鱼吃掉，就把米包成粽子投到江中喂鱼。这个传说，反映了人们对屈原的热爱，也是中国南方许多地区在端午节这一天比赛划船和中国人在这一天吃粽子的由来。

36. 屈原是哪国人？

C

37. 关于屈原，下面哪句话不正确？

D

38. 屈原是怎么死的？

B

39. 这段文字的题目可能是什么？

A

40 到 42 题是根据下面一段话：

女：我说，你和晓丽到底怎么样了？

男:不怎么样。她爸成天说,年轻人要上进,要努力,我都烦死了。

女:这话有什么不对的?

男:说来说去不就是嫌我没钱吗?

女:你呀,总是把人往坏处想。再说,爸爸是爸爸,女儿是女儿嘛。

男:可人是会受家庭影响的。好了,好了,这事儿您和我爸就甭再操心了。

40. 这两个人是什么关系?

    D

41. 这两个人在谈论什么问题?

    A

42. 你怎么理解这两个人的对话?

    D

43 到 45 题是根据下面一段话:

    在 1992 年奥运会比赛中,西班牙和美国心理学家用摄像机拍摄了 20 名银牌获得者和 15 名铜牌获得者的情绪反应。他们发现在领奖台上第三名看上去比第二名更高兴。

    研究人员分析认为,这是因为铜牌获得者通常不是期望很高的人,获得第三已经是很高兴的事了;而银牌获得者的目标往往是金牌,因此就会为没有成为第一而感到难过。许多亚军都伤心地说,差一点就得冠军。而那些获得第三名的运动员也许会说:差一点就不能站到领奖台上了。

43. 这段话谈的主要问题是什么?

    B

44. 为什么许多亚军获得者很伤心?

    D

45. 下面哪个是第三名的特点?

    C

46 到 47 题是根据下面一段话:

    我原来一直以为,心理咨询是弱者才需要的服务。我心理健康,大概永远也不会去看什么心理医生。可是最近我发现自己的头发掉得特别厉害,便去医院检查,也查不出什么,非常着急。后来,一位朋友说,这可能与心理因素有关,建议我去作一下心理咨询。在她的劝说下,我同意了。

    "这很可能与心理压力太大有关。"医生说,"最近是不是遇到了一些特别难办的事?"

    的确,最近我的工作压力非常大。我负责公司一种新产品的销售,近来市场竞争激烈,销售情况一直不太好。而我作为公司里惟一的女部门经理,不愿意比男同事差,不知不觉给自己增加了太多的压力。

    医生建议我多休息或去旅行,这样可以放松下来。如果掉头发的情况不那么严重了,就说明确实和心理因素有关;如果没有什么效果,还要作进一步的检查。

46. 作者为什么去作心理咨询?

    A

47. 下面哪个不是造成作者工作压力大的原因？

    D

48 到 50 题是根据下面一段话：

女：喂，您好，我是优美家具公司的。高先生在吗？

男：我就是。我订的沙发做好了吧？是不是今天就送来？

女：很抱歉，高先生，您订的那种沙发布我们暂时没有，恐怕您还得等儿天。

男：还要等几天？我已经等这么久了。当初你们说两个星期就可以做好送到家里，结果到时候又说木料有问题，要我再等一个月；现在又说没有沙发布，那你们家具公司还有什么？还不如我自己买东西自己做呢！咱们的合同上写得清楚，如果你们超过一个月不交货，我可以取消合同——干脆取消算了。

女：对不起，高先生，这种情况也是我们没有想到的。这样吧，您再等一星期，我们再给您便宜150块。

男：好吧。如果不是嫌退款麻烦，我就不要了。这次要是再交不了，我就不订了。

48. 男的已经等了几个星期了？

    C

49. 女的为什么还要男的等？

    B

50. 男的最后决定怎么办？

    A

# 第七套标准答案

## 一、听力理解

### 第一部分

1.A  2.A  3.C  4.D  5.C  6.A  7.B  8.D  9.B  10.D  11.B  12.D  13.D  14.A
15.D

### 第二部分

16.D  17.B  18.D  19.C  20.B  21.B  22.D  23.D  24.A  25.C  26.D  27.D
28.D  29.D  30.A  31.C  32.A  33.B  34.B  35.A

### 第三部分

36.C  37.D  38.B  39.A  40.D  41.A  42.D  43.B  44.D  45.C  46.A  47.D
48.C  49.B  50.A

## 二、语法结构

### 第一部分

51.C  52.C  53.C  54.C  55.D  56.B  57.A  58.B  59.B  60.A

### 第二部分

61.C  62.A  63.C  64.A  65.D  66.B  67.B  68.C  69.C  70.A  71.B  72.A
73.A  74.B  75.A  76.B  77.B  78.D  79.B  80.B

## 三、阅读理解

### 第一部分

81. A  82. A  83. B  84. C  85. A  86. C  87. B  88. A  89. D  90. C  91. A  92. D
93. A  94. C  95. B  96. A  97. D  98. C  99. B  100. A

## 第二部分

101. B  102. C  103. A  104. D  105. B  106. C  107. C  108. D  109. B  110. D  111. B
112. C  113. D  114. A  115. D  116. C  117. B  118. D  119. A  120. A  121. D  122. A
123. C  124. C  125. B  126. B  127. C  128. D  129. D  130. B

# 四、综合填空

## 第一部分

131. A  132. D  133. C  134. D  135. C  136. A  137. B  138. B  139. C  140. A  141. A
142. D  143. B  144. A  145. C  146. C  147. B  148. A  149. A  150. A  151. D  152. B
153. A  154. D

## 第二部分

155. 祝  156. 周  157. 同  158. 临  159. 创  160. 一  161. 名  162. 究  163. 产
164. 提  165. 动  166. 服  167. 节  168. 便  169. 计  170. 线

# 模拟试卷（八）

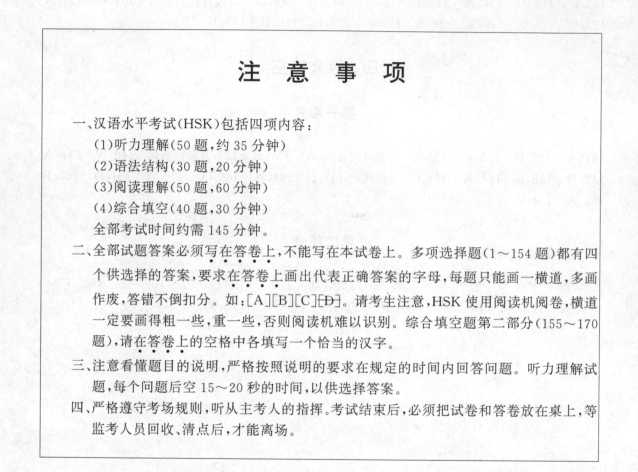

## 注 意 事 项

一、汉语水平考试(HSK)包括四项内容：

(1)听力理解(50题,约35分钟)

(2)语法结构(30题,20分钟)

(3)阅读理解(50题,60分钟)

(4)综合填空(40题,30分钟)

全部考试时间约需145分钟。

二、全部试题答案必须写在答卷上,不能写在本试卷上。多项选择题(1~154题)都有四个供选择的答案,要求在答卷上画出代表正确答案的字母,每题只能画一横道,多画作废,答错不倒扣分。如：[A][B][C][Đ]。请考生注意,HSK使用阅读机阅卷,横道一定要画得粗一些,重一些,否则阅读机难以识别。综合填空题第二部分(155~170题),请在答卷上的空格中各填写一个恰当的汉字。

三、注意看懂题目的说明,严格按照说明的要求在规定的时间内回答问题。听力理解试题,每个问题后空15~20秒的时间,以供选择答案。

四、严格遵守考场规则,听从主考人的指挥.考试结束后,必须把试卷和答卷放在桌上,等监考人员回收、清点后,才能离场。

# 一、听力理解

(50题,约35分钟)

## 第一部分

说明:1~15题,这部分试题,都是一个人说一句话,第二个人根据这句话提一个问题,请你在四个书面答案中选择惟一恰当的答案。

例如:第8题,你听到:

第一个人说:……

第二个人问:……

你在试卷上看到四个答案:

A. 七点十分　B. 七点　C. 十点七分　D. 六点五十

第8题惟一恰当的答案是D,你应在答卷上找到号码8,在字母D上画一横道。横道一定要画得粗一些,重一些。

8.[A]　[B]　[C]　[D]

1. A. 裁缝对顾客
   B. 售货员对顾客
   C. 丈夫对妻子
   D. 朋友之间

2. A. 我以为你要的是白色连衣裙
   B. 我以为我拿错了
   C. 昨天我弄错了
   D. 昨天我没有弄错

3. A. 这儿没有门,根本过不去
   B. 不必交证件,这儿过不去

C. 必须交证件才能过去
D. 这儿没有证件也能过去

4. A. 跑步、打球、打麻将都很好
   B. 跑步、打球、打麻将都不好
   C. 跑步、打球好,打麻将不好
   D. 跑步、打球不好,打麻将好

5. A. 我去一定能把这件事办好
   B. 我去是最合适的
   C. 还是我去吧
   D. 我头疼,去看看就好了

225

6. A. 没想到会吃药
   B. 吃了药就病倒了
   C. 吃药以前病并不重
   D. 吃了药,病好了

7. A. 我和小王换班了
   B. 小王比我年龄大
   C. 小王比我来得早
   D. 我比小王干得快

8. A. 70
   B. 14
   C. 10
   D. 40

9. A. 给植物浇水
   B. 画画儿
   C. 定暑假计划
   D. 看书

10. A. 不一定来
    B. 肯定来
    C. 必须来
    D. 一定不来

11. A. 他看不懂

B. 他没看
C. 他看得很少
D. 他不喜欢

12. A. 最喜欢下雨天钓鱼
    B. 特别不喜欢钓小鱼,喜欢钓大鱼
    C. 钓不着鱼的时候很着急
    D. 下雨天没钓到鱼

13. A. 受教育程度
    B. 国家形势
    C. 自己的年龄
    D. 退休制度

14. A. 92
    B. 65
    C. 87
    D. 129

15. A. 老万
    B. 老段
    C. 老边
    D. 老范

第二部分

说明:16～35题,这部分试题,都是两个人的简短对话,第三个人根据对话提出一个问题,请你在四个书面答案中选择惟一恰当的答案。

例如:第22题,你听到:

22. 第一个人说:……

第二个人说:……

第三个人问:……

你在试卷上看到四个答案:

A. 睡觉　B. 学习　C. 看病　D. 吃饭

第22题惟一恰当的答案是C,你应在答卷上找到号码22,在字母C上画一横道。横道一定要画得粗一些,重一些。

22.[A]　[B]　[C]　[D]

16. A. 学生
　　B. 记者
　　C. 厨师
　　D. 工人

17. A. 小商小贩卖菜和水果
　　B. 小商小贩经营的地方离小区很近
　　C. 有了小商小贩生活并不方便
　　D. 上下班的时候路上的人很多

18. A. 二元五角
　　B. 三元二角
　　C. 一元五角
　　D. 二元

19. A. 领导让他做什么他就做什么
　　B. 和领导班子一起做决定

C. 他自己决定谁当厂长
D. 一切事情都由他做决定

20. A. 他三年以前开始读硕士
　　B. 他至少要用三年时间读完硕士
　　C. 他硕士已经读完很长时间了
　　D. 和别人相比,他用的时间最少

21. A. 女的穿上西服很漂亮
　　B. 女的的西服太贵了
　　C. 女的的西服两百块买不了
　　D. 女的的西服不怎么样

22. A. 做饭
　　B. 救火

C. 吵架

D. 作实验

29. A. 火车上

B. 汽车上

C. 船上

D. 飞机上

23. A. 房子的位置

B. 房子周围的环境

C. 房子的大小

D. 房子的价格

30. A. 让女的快去医院

B. 男的自己要去

C. 认为事情并不严重

D. 一定得女的去

24. A. 他想跟女的学

B. 他不想跟女的学

C. 他没有时间

D. 他听不懂

31. A. 他的理想和经济有关

B. 他家很有关系

C. 他家的经济情况很不错

D. 他找到工作和国家的形势有关

25. A. 外企职工的工资不到四千

B. 他不相信女的的话

C. 外企职工除了工资还有别的收入

D. 外企职工的工资超过四千

32. A. 男的的父亲生气了

B. 屋子里太热了

C. 男的的妈妈生病了

D. 男的的爸爸生病了

26. A. 一千块

B. 两千块

C. 很多钱

D. 他没有丢钱

33. A. 学院里

B. 城里

C. 学院路

D. 爱人的单位

27. A. 屋子里有空调和电扇

B. 屋子里没有空调

C. 屋子里没有电扇

D. 电扇没有用

34. A. 吃惊

B. 高兴

C. 责怪

D. 难过

28. A. 小马今晚要去打桥牌

B. 小马在医院工作

C. 小马在上夜校

D. 小马的手受伤了

35. A. 北京

B. 湖北

C. 东北

D. 河北

## 第三部分

说明:36～50题,这部分试题,你将听到几段简要的对话或讲话。每段话之后,你将听到若干问题,请你在四个书面答案中选择惟一恰当的答案。

例如:第38～39题,你听到:

第一个人说:……

第二个人说:……

第三个人根据这段对话提出两个问题:

38. 问……

你在试卷上看到四个答案:

A. 食堂  B. 商店  C. 电影院  D. 去商店的路上

根据对话,第38题惟一恰当的答案是D,你应在答卷上找到号码38,在字母D上画一横道。横道一定要画得粗一些,重一些。

38. [A]  [B]  [C]  [D̶]

你又听到:

39. 问……

你在试卷上看到四个答案:

A. 学习     B. 看电影     C. 吃饭     D. 买东西

根据对话,第39题惟一恰当的答案是B,你应在答卷上找到号码39,在字母B上画一横道。横道一定要画得粗一些,重一些。

39. [A]  [B̶]  [C]  [D]

36. A. 收音机逐步被取代
    B. 黑白电视向彩色过渡
    C. 彩色电视机成为主流
    D. 国产电视替代进口电视

37. A. 音像质量好
    B. 是进口产品
    C. 价格最好不超过 2000 元
    D. 屏幕不超过 19 吋

38. A. 男的觉得古南的书法不够成熟
    B. 女的觉得古南的书法更自然
    C. 男的更喜欢占南的绘画
    D. 两个人都认为古南的作品有特色

39. A. 一起去看画展
    B. 去吃饭
    C. 参加讨论会
    D. 和她讨论古南的作品

40. A. 早上
    B. 中午
    C. 下午
    D. 夜里

41. A. 1 艘
    B. 2 艘
    C. 3 艘
    D. 20 艘

42. A. 11 人
    B. 16 人
    C. 28 人
    D. 44 人

43. A. 她不用再花路费去探亲了
    B. 她可以照顾她的父母了
    C. 沈萍的衣服不时髦
    D. 她喜欢上海饭

44. A. 越早越好
    B. 4 号
    C. 14 号
    D. 10 号

45. A. 少儿眨眼症是怎么产生的
    B. 多看电视对眼睛不好
    C. 怎么治疗少儿眨眼症
    D. 少儿眨眼症可能导致儿童情绪过度
       兴奋

46. A. 2～3 岁
    B. 3～7 岁
    C. 7～10 岁
    D. 10～11 岁

47. A. 可引起视觉中枢的过度兴奋
    B. 色彩让人兴奋
    C. 图像变化快
    D. 画面闪烁

48. A. 比较容易治疗
    B. 不需治疗即可自行消失
    C. 与儿童的其他眼病有关
    D. 与电视机质量有关

49. A. 洗印店
    B. 洗衣店
    C. 水果店
    D. 照相机商店

50. A. 洗的原因
    B. 照的原因
    C. 天气原因
    D. 他不清楚

# 二、语法结构

(30题,20分钟)

## 第一部分

说明:51~60题,在每一个句子下面都有一个指定词语,句中ABCD是供选择的四个不同位置,请判断这一词语放在句子中哪个位置上恰当。

例如:

55. 我们 A 一起 B 去上海 C 旅游 D 过。

　　　　　没有

"没有"只有放在句中 A 的位置上,使全句变为"我们没有一起去上海旅游过",才合乎语法。所以第 55 题惟一恰当的答案是 A,你应在答卷上找到号码 55,在字母 A 上画一横道。横道一定要画得粗一些,重一些。

55. ┤A┤　[B]　[C]　[D]

51. A 参加了三次高考 B 的 C 捧着《录取通知书》,D 没有笑,却静静地流下了眼泪。

　　　　　她

52. A 我的女朋友 B 半个月没来信了,C 我 D 有点着急。

　　　　　暗暗

53. 对他这样 A 的做法,B 大家 C 理解 D。

　　　　　难以

54. 他这个人 A 有学问 B 是有学问,C 就是

D 傲得不得了。

　　　　　倒

55. A 中关村 B 有 C 许多 D 电脑公司。

　　　　　一带

56. 请你 A 再 B 耐心 C,我看孩子好像不太明白 D 你的话。

　　　　　一点儿

57. 我们前天 A 去的时候,主管这一工作的领导出差了,昨天 B 只好 C 去了 D 一次。

231

又

里一直 C 十分 D 内疚。

令

58. 我懒得跟她说 A 什么,转 B 身就回 C 自己的房间去 D。

了

60. 那部 A 爱国 B 电影在孩子们 C 中间产生 D 影响很大。

的

59. 这件已过去很长时间的往事,A 我 B 心

# 第二部分

说明:61～80 题,每个句子中有一个或两个空儿,请在 ABCD 四个答案中选择惟一恰当的填上(在答卷上的字母上画一横道)。

例如:

67. 我昨天买了一_____钢笔。

A. 件　B. 块　C. 支　D. 条

我们只能说:"我昨天买了一支钢笔",所以第 67 题惟一恰当的答案是 C,你应在答卷上找到号码 67,在字母 C 上画一横道。横道一定要画得粗一些,重一些。

67.[A]　　[B]　[C]　[D]

61. 他把牛奶倒进咖啡里以后,又放进去一_____方糖。

A. 个

B. 袋

C. 颗

D. 块

62. 各国代表在会议_____相继发言,对地球变暖的问题发表了看法。

A. 里

B. 中

C. 上

D. 下

63. 上大学的时候,我经常想一个问题,人活_____到底是为了什么?

A. 过

B. 着

C. 了

D. 完

64. 看完电影回家后,_____。

A. 他问我是谁跟一起去看的

B. 他问我是跟谁一起去看的

C. 他问我是一起去看的跟谁

D. 他问跟谁我是一起去看的

65. 在中国,现在出国不太_____限制
了。

A. 使

B. 有

C. 受

D. 让

66. _____到中国学汉语的机会,我买了
许多便宜东西。

A. 随

B. 当

C. 在

D. 趁

67. 你快点儿吧,_____就来不及了。

A. 那么

B. 要么

C. 或者

D. 否则

68. 虽然湖南菜和四川菜都辣,可是在我看
来,湖南菜好像比四川菜_____。

A. 一点辣

B. 辣一点

C. 有点辣

D. 辣有点

69. 我看见她领着一个小孩从远处走____,
就赶紧迎了上去。

A. 下来

B. 上来

C. 出来

D. 过来

70. 家用电脑变成家用电器,这是____。

A. 新出现最近一两年的一种现象

B. 一种最近一两年出现新的现象

C. 最近一两年出现的一种新现象

D. 一种新最近一两年出现的现象

71. _____在国内_____在国外,我都
习惯早起早睡。

A. 连……也……

B. 不论……还是……

C. 既……又……

D. 除了……还……

72. _____看上去特别清爽。

A. 你丝绸天蓝色连衣这条裙

B. 你天蓝色这条连衣丝绸裙

C. 你这条大蓝色丝绸连衣裙

D. 你这条丝绸天蓝色连衣裙

73. 那天广场的人特别多,我们好容易____
挤进去。

A. 能

B. 就

C. 没

D. 才

74. 根据我们的了解,目前大部分人的工资
外收入根本_____

A. 不查出来

B. 查得出来

C. 查得不出来

D. 查不出来

75. _____营养越来越好,现在的孩子普
遍比过去高了。

A. 于是

B. 由于

C. 因此

D. 为了

76. 除了李大生爱听京剧,我们_____对

京剧不怎么感兴趣。

A. 也

B. 还

C. 却

D. 都

77. 那个地方人们的思想比我们想像的__
_____落后。

A. 很

B. 还

C. 一点

D. 不

78. 快毕业的时候,他_____旧自行车卖
了。

A. 使

B. 把

C. 给

D. 叫

79. 怎么回事,_____不明白了。

A. 越你说越我

B. 越说你越我

C. 你越说我越

D. 你越说越我

80. 谁知道他_____说些什么。

A. 一句东一句西

B. 一句西一句东

C. 东一句西一句

D. 西一句东一句

234

# 三、阅读理解

(50题,60分钟)

## 第一部分

81. 你不要再<u>犹豫</u>了,这么好的女孩你打着
灯笼也找不着。
   A. 十分害怕
   B. 非常骄傲
   C. 拿不定主意
   D. 不好意思

82. 你放心,新年的钟声一响他<u>准</u>给我们来
电话。
   A. 准时
   B. 肯定
   C. 准备
   D. 马上

83. 我们虽然都在北京留学,可是并不常见
面,只是<u>偶尔</u>打个电话。
   A. 经常
   B. 有时候
   C. 有机会
   D. 有空儿

84. 有一个周末的夜晚我进城办事,发现北
京街头的夏夜居然很<u>热闹</u>。
   A. 天气很热
   B. 人很热情
   C. 声音很大
   D. 气氛活跃

85. 你们要在这儿游泳,先要搞清这个湖<u>到
底</u>有多深。
   A. 究竟
   B. 真正
   C. 到最后
   D. 到最下边

86. 现在好了,买火车票再也不用<u>走后门</u>
了。
   A. 靠关系
   B. 排长队
   C. 从后门买
   D. 花很长时间

87. 这条胡同的来历我也不太清楚,你得去问<u>老北京</u>。
    A. 以前的北京
    B. 北京的老人
    C. 很了解北京的人
    D. 土生土长的北京人

88. <u>沉默</u>啊,<u>沉默</u>,不在沉默中爆发,就在沉默中灭亡!
    A. 残酷
    B. 惭愧
    C. 无言
    D. 忍受

89. <u>凡是</u>符合录取条件的学生,都可以自己选择专业。
    A. 够
    B. 超
    C. 想
    D. 有

90. 老李花了一万块钱买电脑,我看很不<u>合算</u>。
    A. 精密
    B. 好用
    C. 值得
    D. 周到

91. 这个包看起来挺<u>结实</u>的,是你的吗?
    A. 很沉
    B. 很大
    C. 很好看
    D. 不容易坏

92. 他沿着<u>曲曲折折</u>的路往前走,连自己也不知道要到什么地方去。
    A. 细细
    B. 弯弯
    C. 长长

D. 直直

93. 老年人有这样的病不<u>碍事</u>。
    A. 能作事
    B. 影响别人
    C. 方便
    D. 要紧

94. 你们这里的复杂情况,我早有所<u>闻</u>。
    A. 听说
    B. 想像
    C. 发现
    D. 明白

95. 请大家回去看一看那本关于人权运动的书,下次上课谈谈你们的<u>心得</u>。
    A. 心情
    B. 计划
    C. 感受
    D. 分析

96. "第五届全国摄影展"展出作品所涉及的内容十分<u>丰富</u>。
    A. 有趣
    B. 广泛
    C. 深刻
    D. 有意义

97. 听说你<u>姑姑</u>从上海回来了,是吗?
    A. 丈夫的妹妹
    B. 妻子的妹妹
    C. 爸爸的妹妹
    D. 妈妈的妹妹

98. 你这会儿不想好,<u>回头</u>他来问你你怎么说?
    A. 以后
    B. 领导
    C. 回来

236

D. 再次

99. 几个孩子里,就数晖晖最乖。
  A. 调皮
  B. 聪明
  C. 固执
  D. 听话

100. 她在这个平凡的岗位上作出了很大的贡献。
  A. 长期
  B. 普通
  C. 危险
  D. 重要

第二部分

说明:101~130题,每段文字后都有若干个问题,每个问题都有 ABCD 四个答案,请快速阅读并根据它的内容选择惟一恰当的答案(在答卷上的字母上画一横道)。

101~102

最近,几家大的汽车公司向人们展示了他们将于近年推向市场的几种新型汽车,这几种颇受人们关注的汽车各有特点。电力汽车绝对不会排放废气,但是,驱动这种汽车的电池却价格昂贵,寿命短,充电时间长,行车路程有限。燃料电池车是通过氢和氧的化学反应而获得动力的,不会产生任何污染物质。不过,这种汽车需要大量的白金作为制造材料,所以光是一辆这样的车就得比同型车贵 3 万美元!至于混合引擎"绿色轿车"可以由电力、燃料电池和汽油提供动力,并且可以把对空气的污染减少 50% 以上,但这种车的价格也是普通车的 2 到 3 倍!

101. 这几种汽车的共同特点是:
  A. 都不使用汽油
  B. 污染都很小
  C. 所使用的电池都很贵
  D. 使用都不太方便

102. 从上文可以看出这几种车:
  A. 很受人们欢迎
  B. 技术上都是最先进的
  C. 还不是很实用
  D. 使用了相同的技术

103~107

朋友:

那天下午,诊室内外人很多,我在忙碌中忽听有人叫我接电话,便赶紧来到电话室。

握住话筒,仍然无法平静下来,只听见电话里传来一阵清晰的声音:"李霞老师吗?"因为我常常习惯了患者"李专家"、"李教授"的奉承,所以就不客气地应了声:"对。""我看了您'站着的梦',我很感动。"我"嗯",欲听下文,随后却是长长的沉默。我以为线路断了,正要挂上,又传来了您耳语般的声音:"我,想见您一面。"我说:"有什么事可以现在说吗?"您用轻得几乎听不见的声音,好像是说:"没什么特别的,只是说说我的看法。"

因为忙乱,因为心情浮躁,我婉拒了您。

后来,那热切的声音却一直回旋在我的耳边,很多天、很多天我都不能平静,我处于深深自责之中。

我想,我也许伤了一颗不该伤的心。

朋友,如果您的疑团仍然没有解开,我的帮助真的对您有用,那么,请您记住我的呼机:68327979 呼 12917,我真诚等待着您。

我说过的,再见。

愧疚的李霞
1 月 3 日

103. 写信人的职业是:

A. 教师

B. 医生

C. 作家

D. 心理专家

104. 打电话的人是:

A. 一个患者

B. 一个学生

C. 一个读者

D. 一个朋友

105. 打电话的人为什么要见李霞?

A. 她的病很重

B. 她认识李霞

C. 她有心理问题

D. 她想和李霞谈谈

106. 写信人在接电话时是什么态度?

A. 愤怒

B. 热情

C. 冷淡

D. 平静

107. 写信人为什么要写这封信?

A. 她对自己的举动很后悔

B. 她想知道打电话的是谁

C. 她想知道患者有什么问题

D. 她对这样的电话有了兴趣

108~110

温州农民王跃华近日接到美国爱迪生发明中心的通知,他因推广可降解塑料薄膜成绩显著,被授予"人类贡献奖"。塑料薄膜在农业上的应用,被誉为农业的一次"白色革命"。但是,如何处理各种塑料垃圾给环境带来的灾害,也成了环保专家最头痛的问题。1994 年,王跃华获知这一信息后,便决定研究开发可降解塑料。经过两年的艰苦攻关,他终于成功地研制出生物降解树脂。

108. 王跃华的职业是:

A. 科学家

B. 农民

C. 环保学家

D. 发明家

109. 王跃华是什么时候发明生物降解树脂的?

A. 1994 年

B. 1995 年

C. 1996 年

D. 1997 年

110. 关于生物降解树脂,下面哪句话是正确的?

A. 它是农业的一次"白色革命"

B. 它解决了一个环保难题

C. 它是美国爱迪生发明中心的一个科研项目

D. 它可以使农业大幅度增产

111～113

　　北京地区考古工作虽然发现和发掘了37处旧石器时代遗址,并出土了1000多件石器,但在这37处遗址中,至今尚未发现古人类化石。考古学家希望城乡人民在耕地、取土或施工、掘地时,要注意古人类化石的发现。古人类化石的形成,一般在一万年以上,因为古人类的骨骼经过矿物质的充填和交替等作用,仍保持原来的形状、结构,所以这样的古人类化石,分量较重,没有异味,是容易分辨的。如有发现,要妥善加以保护,并向文物部门报告。

111. 关于北京的旧石器遗址,下面哪句话是错的?
　　A. 已经发掘了37处
　　B. 发现了大量石器
　　C. 还没有发现古人类化石
　　D. 发现了一些史前动物化石

112. 关于古人类化石,下面哪句话不正确?
　　A. 仍保持原来的形状
　　B. 总是和石器在一起
　　C. 分量较重
　　D. 没有怪味

113. 这段话的用意是:
　　A. 介绍古人类化石知识
　　B. 介绍北京新石器时代遗址的情况
　　C. 分析石器与古人类化石的关系
　　D. 请人们注意发现并保护古人类化石

114～117

　　以高新技术为主要内容的第二次工业革命,把全球各地区更为紧密地联系在一起,跨国界的知识、技术、资本、信息和人才流动远较第一次工业革命时期更为快捷、频繁。因此,在二十世纪后半期的国际舞台上,一方面是由于大小国家的军备竞赛,战争的阴影始终未能从人们的心头拂去;另一方面,国际一体化的迅速发展对战争的到来形成越来越有力的抑制。美苏对抗没能发展成世界大战,其中一个最重要的原因就是这种一体化所促成的依存关系使挑战的一方难以承受战争的代价,包括战胜的代价。如果说二战之前重大国际矛盾的解决靠的是战争手段,那么二战后靠的则主要是妥协的手段,其主要方式即多边协商与多边协约,以及多边国际组织的建立。有人甚至认为没有妥协就没有当代国际关系。

114. 根据本文,第二次工业革命:
　　A. 改变了国际问题的处理方式
　　B. 改变了高新技术
　　C. 使武器更为危险
　　D. 使国际问题更加复杂

115. 在二十世纪后半期,战争的危险:
　　A. 越来越大
　　B. 越来越小
　　C. 一直存在
　　D. 只存在于美苏之间

116. 二十世纪国际关系的特点是:
　　A. 冲突更加激烈
　　B. 互相依存
　　C. 以美苏为核心
　　D. 非常混乱

117. 二战后解决国际问题手段的特点是:
　　A. 和平
　　B. 战争
　　C. 技术
　　D. 竞赛

118～119

　　小熊猫主要生长于中国西藏、四川以及

尼泊尔、不丹等国凉爽潮湿的竹林里面。成年的小熊猫性情羞怯,行动迟缓,整日呆在枝叶茂密的树上,即使是专业考察人员也难得一见。

刚出生的小熊猫体形很小,但三天后体重就可以达到 184 克左右。满月时,体重就到了 400 多克。出生一个半月后,小熊猫慢慢地就和成年小熊猫一样了,只是要小一些。当然,成年的小熊猫也没有多大,比家猫大不了多少。

小熊猫以吃竹子为生,我国竹林种植范围广,本来可以为小熊猫提供良好的生存环境,但近年来,很多竹林被砍,种上了庄稼或成了草场,小熊猫觅食也就越来越困难,这就直接威胁到它们的生存。

118. 关于小熊猫,下面哪句话是错的?
A. 不喜欢高温气候
B. 体形小
C. 很难见到
D. 长得很慢

119. 对于小熊猫的生存环境的变化,作者的态度是:
A. 担忧
B. 乐观
C. 无可奈何
D. 气愤

120~124

我们中国人对环保这件事情不能说完全不理不睬,有时候也提到相当的高度予以重视。可是中国的事情太多了,比如教育体制、科技体制,比如国企改革、住房养老,比如法制建设、反腐败,问题成堆,都不太顺。事情要分个主要次要,解决问题得一样样来,这样一想的结果就把环保问题自然而然地放到了次要的地位。为什么呢?环境保护既是"保护",那就必然是一种边缘的东西,

因为"保护"总是对弱者的保护,对弱势人群的保护。保护妇女儿童权益,保护残疾人权益,保护消费者合法权益等等,都属于被"保护"一类。对一个社会来讲,他们只是插曲和修饰,无论如何也不会是"主调"。

在业已形成的这种思维定势下,我国的环境保护事业一直处于边缘状态。广大老百姓觉得环保这个事情离我们还远着呢,先吃饱肚子再说;等到肚子已经吃得很饱了,大家还是觉得问题离得很远,继续放黑烟、排污水、砍林木、吃野物,甚至大用特用一次性筷子、一次性塑料饭盒,搞得森林减少、白色污染泛滥。有些决策者很理直气壮地说环保应该服务于经济增长这个大局。于是,有些地方大力发展高污染、高能耗、粗加工、低效益的项目,环保部门都没有办法制止。

令人失望的是,在中国环境状况如此严重的情况下,报纸的批评性报道不仅没有增加,反而明显地下降了;而许多决策者在对经济发展作出规划时,依然缺少对环保的考虑。

120. 作者认为环保问题没有受到重视的理由:
A. 不能令人信服
B. 不是很多
C. 完全不存在
D. 很有说服力

121. 根据本文,受"保护"的都是:
A. 非常重要的
B. 不那么重要的
C. 很容易做好的
D. 受人们欢迎的

122. 作者觉得老百姓对环保是什么态度?
A. 反对
B. 非常支持
C. 不关心

D. 忧虑

123. 作者认为中国的环境状况：
A. 越来越好
B. 越来越糟
C. 不应该影响经济的发展
D. 与环保部门工作不努力有关

124. 为什么有的决策者不重视环保问题？
A. 因为现在的污染并不严重
B. 因为报纸有关环保的报道太少了
C. 因为决策者认为发展经济更重要
D. 因为环保部门没有采取有力措施

125～126

社会平等和经济平等密切相关，互为因果。平等问题在发展中国家始终是处于中心位置的问题，从经验来判断，显著的收入差距未能被证明有助于提高经济发展的活力，相反收入的严重集中化强烈地阻碍公众对于发展的参与，从而妨碍了经济的健康发展。因为贫困阶层低下的生活条件损害了他们勤奋工作的意愿，从而大大降低了生产效率。而且，不平等现象还会助长人们的无责任化倾向，使国家的凝聚力下降。

125. 根据本文，显著的收入差距：
A. 常常难以控制
B. 是发展中国家的核心问题
C. 对经济发展有负作用
D. 可以促使人们竞争

126. 关于收入严重集中化的后果，下面哪句话是对的？
A. 会导致社会不平等
B. 会使人们有很强的责任感
C. 贫困阶层会更加努力地工作
D. 经济一定很落后

127～130

在价格谈判时，人们常常会想，对方提出的价格对我们来说合算不合算？对于做生意来说，追求价格的合算，也就是俗话所说的"物美价廉"，似乎天经地义。有时人们会把价格越低越好、货物越美越好作为追求的惟一目标。在这种观念的驱使下，人们在谈判中往往会反复盘算，反复比较，斤斤计较，甚至认为只有这样做才完成了谈判者的责任，才不会在谈判中吃亏。这种谈判在商务谈判中屡见不鲜，还被认为是一种成功的经验广为介绍。

当然，我们不能说国际商务谈判中完全没有可能做到"物美价廉"，但是更多的追求应该是"货真价实"。当买方追求"物美价廉"时，卖方对"物美"想得到的是"价高"。这样双方就很可能会发生冲突，使谈判无法进行。于是卖方为了达成交易，就可能在表面上满足了买方所坚持的"价廉"的同时，暗地里偷偷将"物美"改成"物不美"。要知道，交易所遵循的"一分价钱一分货"的原则，任何人都不能违背，交易双方都不能以实现自己的"合算"为目的，使对方的利益受损。

127. 作者认为人们追求"物美价廉"：
A. 是完全应该的
B. 是不常见的
C. 是国际商务谈判所要求的
D. 是可以理解的

128. 当买方单纯追求"物美价廉"时，卖方往往：
A. 表示不能接受
B. 会遭受很大损失
C. 拒绝和对方谈判
D. 会作表面上的让步

129. 下面哪句话最接近"一分价钱一分货"的意思？

A. 钱少买的东西也少

B. 东西又便宜又好

C. 东西好，价格就高；东西不好，价格就低

D. 东西不好，价格也可能很高

130. 作者认为谈判双方在谈判中：

A. 要追求物美价廉

B. 总是互相欺骗

C. 总是只有一方受益

D. 不能只考虑自己的利益

# 四、综合填空

（40题，30分钟）

## 第一部分

说明：131～154题，每段文字中都有若干个空儿（空儿中标有题目序号），每个空儿右边都有ABCD四个词语，请根据上下文的意思选择惟一恰当的词语（在答卷上的字母上画一横道）。

**131～139**

一天，她在餐车里看见一个青年，满面愁容，不吃不喝，就走到他的跟前，轻轻问道："你是不是不131？"青年132头。明长青又问他133饭菜不可口，回答还是"不是"。

134了一会儿，明长青135走过来，问道："你有什么136，能不能对我说说，我会尽力帮助你。"这个青年突然哭了起来。

137，这是一个失足青年，刚从监狱释放138，感到自己没有前途了。明长青坐下来耐心地和他谈了一路，终于，年轻人的脸上139出了笑容。

131. A. 轻松　　B. 舒服　　C. 健康　　D. 精神
132. A. 抬抬　　B. 摇摇　　C. 晃晃　　D. 摆摆
133. A. 如果　　B. 是否　　C. 到底　　D. 还是
134. A. 经　　　B. 过　　　C. 完　　　D. 不
135. A. 又　　　B. 重　　　C. 再　　　D. 还
136. A. 心情　　B. 心意　　C. 心事　　D. 心理
137. A. 后来　　B. 出来　　C. 本来　　D. 原来
138. A. 出去　　B. 出来　　C. 下来　　D. 上来
139. A. 放　　　B. 露　　　C. 有　　　D. 爬

**140～144**

140一名球迷，我们141注意自己的形象。142，这次世乒赛期间，我们坐在电视机前观看万里之遥的比赛时，既为中国乒乓健儿团结拼搏的斗志所

140. A. 作为　B. 是　C. 当　D. 成为
141. A. 少　　B. 很少　C. 不多　D. 少点
142. A. 那么　B. 然而　C. 居然　D. 于是

激动,<u>143</u> 意外地发现了中国球迷的
出色<u>144</u>。

143. A. 却　　B. 更　　C. 则　　D. 竟
144. A. 演出　B. 行动　C. 表现　D. 动作

145～151

　　本栏是编者与读者、读者与读者
之间交流思想和感情的园地。我们多
次说过,我们<u>145</u> 表扬或是批评,我们
看重的<u>146</u> 是一个"真"字。只有真言
才有价值,只有真诚相待,友情才会持
久。

145. A. 不在乎 B. 没关系 C. 差不多 D. 不重要
146. A. 才　　B. 只　　C. 还　　D. 不仅

　　<u>147</u> 读者也许还不明白,现代传
媒的服务功能是二元的,既为读者服
务,也为广告客户服务。广告是商品的
影子,在商品社会里,<u>148</u> 是你们还是
我们,要想摆脱广告<u>149</u> 是不可能的。
<u>150</u> 报的方针是将编辑部和广告部截
然分开,编辑部要奉行认稿不认人,认
报不认钱的原则,广告经营<u>151</u> 要严
格遵守广告法,在这方面我们愿意接
受读者们的监督。

147. A. 有些　B. 这些　C. 那些　D. 这

148. A. 哪怕　B. 虽然　C. 无论　D. 纵然
149. A. 从来　B. 明确　C. 几乎　D. 明明
150. A. 我们　B. 本　　C. 这　　D. 此

151. A. 而　　B. 倒　　C. 则　　D. 就

152～154

　　当越来越多的人从乡间走向城市
的时候,一些反映城市生活趣味的报
刊栏目,却热心地讲述<u>152</u> 走出城市
去远游、历险的生活故事。那种独特的
生活方式不代表你,<u>153</u> 不代表我,却
似乎揭示出我们心中的<u>154</u> 隐秘。它
们远不足以否定城市生活,却像一把
尺子,量出了我们生活的缺憾。

152. A. 着　　B. 了　　C. 过　　D. 来着

153. A. 而　　B. 就　　C. 也　　D. 还
154. A. 某种　B. 一件　C. 这种　D. 哪种

## 第二部分

---

说明:155~170题,每段话中都有若干个空儿(空儿中标有题目序号),请根据上下文的意思在答卷上的每一个空格中填写一个恰当的汉字。

---

155~159

家人结伴游览植物园,不仅可以感受春天的气155,还可以让孩子增加些有关花木的知156。不要只记着给孩子带上写157的画夹和画笔,如果您家中有本花卉图鉴之类的科普书,千万记得随身携158,一家人边找边看,边看边学,一定乐159更大。

160~164

女,21岁,北京口160,身高1.70米,大眼睛瓜161脸,皮162较白,齐肩短发,失163前穿粉色低领毛衣,米黄色宽条绒裤,黄皮休闲鞋。提供确凿线164、协助找到该女,必重金酬谢。邮编:100021,北京劲松7楼贾伟东

165~168

十多年来,每到岁末,我都会忙里抽暇,静静地坐在桌前,打开笔记本,把一年里自己生活中发生的重要事件整165一番,排列出来。这里面有喜有悲,有成功有挫166,有得到有失去,但每一件事都对我的生活质量有着重要影167。翻翻这些记录,我看到生命的流168,也看到了自己的成长。

169~170

为迎169"六一"儿童节,爱乐女乐团于六月一日特别推出"儿童免费专场音乐会"。此次音乐会专门为儿童举办,凡是正在学习器乐的儿童均可报170参加演出。

# 第八套听力理解文本

## 一、听力理解

### 第一部分

1. 这件 T 恤衫大小、颜色都合适,您还不来一件? 不过我们是国营,不能还价。
   问:这段话可能是谁对谁说的?
   B

2. 你要的是白色连衣裙,昨天我差点儿没给弄错。
   问:这句话是什么意思?
   D

3. 别跟我来这一套,告诉你,不交证件就想从我这儿过去,没门儿!
   问:说话人是什么意思?
   C

4. 跑步、打球,玩儿点儿什么不好? 天天晚上打麻将,有什么好啊?
   问:这句话是什么意思?
   C

5. 这事真让人头疼,你们也别吵了,我去好了。
   问:这句话是什么意思?
   C

6. 没想到吃了药,病倒重了。
   问:这句话是什么意思?
   C

7. 换了我,小王那点儿活儿早干完了。
   问:这句话是什么意思?
   D

8. 谢思到 10 月 14 号就四十了。

　　问:谢思快过第几个生日了?

　　D


9. 我进去的时候,他正站在书架旁边浇花呢。

　　问:他当时在做什么?

　　A


10. 说是那么说,这么冷的天他未必会来。

　　问:他会来吗?

　　A


11. 那本数学书他没怎么看就还给我了。

　　问:关于那本书,下面哪句话是正确的?

　　C


12. 没有什么比在下小雨的时候钓鱼更让老于着迷的了。

　　问:关于老于,我们知道什么?

　　A


13. 中国现在发展是特别快,我也有文凭,可是我又不是 20 来岁的大学生,现在回去能找到工作吗?听说和我一样大的人都快退休了。

　　问:说话人认为什么对自己不利?

　　C


14. 这次运动会中国队获得金牌 129 块、银牌 65 块、铜牌 87 块。

　　问:中国队获得多少块金牌?

　　D


15. 老边和老范一起到公园去锻炼身体,在路上碰见了去上早班的老万,进了公园,又看见老段早就开始打太极拳了。

　　问:谁没有去公园?

　　A


第二部分


16. 女:女儿不在家?每次来都能看见她在那儿用功。

　　男:没办法,就喜欢看书、写东西。最近才开始学做饭,昨天到东北一家大工厂采访去了。

问：男的的女儿最可能是做什么的？

B

17. 女：卖菜卖水果的这么多，离你们小区又这么近，生活一定很方便吧？

男：方便是方便，就是上下班的时候这些小商小贩老把路堵了。

问：下面哪句话是错的？

C

18. 男：这几种香烟的价钱一样吗？

女：不一样，绿的两块，蓝的三块二，红的也是三块二，白的一块五。

问：下面哪种价钱没提到？

A

19. 女：这次选举，张卫东是不是进了领导班子？

男：对，大家推举他当厂长，不过他说要他当，什么都得他说了算。

问：张卫东想要做什么？

D

20. 女：童建要用多长时间才能读完他的硕士学位，三年？

男：最少那么长时间。

问：关于童建，男的的看法是什么？

B

21. 女：你看我这套西服怎么样？刚买的，两百块。

男：两百块，不会吧？这么漂亮。

问：男的是什么意思？

C

22. 女：你看看，要不是我又加了点水，这会儿火早就把锅煮干了。

男：我这不是过来了吗？

问：他们在做什么？

A

23. 女：这房子真漂亮，又挨着树林，空气肯定好。

男：位置也不错，坐车到城里也不会太贵，只是不够大。

问：关于房子，下面哪点没提到？

D

24. 女：我学了一点儿江苏话，特别有意思，你想学吗？

男:得了吧,我跟你学,恐怕到时候连江苏人都听不懂。

问:男的是什么意思?

B

25. 女:听说外企职工的收入特别高,每个月差不多有四千呢。

男:何止啊!

问:男的是什么意思?

D

26. 女:你出去的时候可要小心点儿,要是把钱丢了,那才倒霉呢!

男:是啊,我钱包里有一两千块钱呢!

问:男的丢了多少钱?

D

27. 女:这么热的天,屋子里没有空调真没法过!

男:好在还有电扇。

问:从对话中我们可以知道什么?

B

28. 男:小马今天晚上去打桥牌吗?

女:他打算去来着,谁想到他们主任刚才来了个电话,说有个手术,让他去值夜班。

问:从对话中我们可以知道什么?

B

29. 女:你最好别坐在那儿,开得跟飞似的,多危险呀。你看这浪多急,掉下去就麻烦了。

男:开赛车我都不怕,还怕这个?

问:他们在什么地方?

C

30. 女:这么头疼的事派谁去呢?

男:我看非你不可。

问:男的是什么意思?

D

31. 女:你是不是有什么关系?要不怎么能找到这么理想的一份工作?

男:这和我们国家的经济情况分不开。

问:男的是什么意思?

D

32. 女：刚才我来你家的时候,在楼下看见你爸爸气呼呼地出去了。
　　男：小声点,他和我妈发火了。
　　问：从对话中我们可以知道什么?
　　A

33. 男：你现在住哪儿了? 上星期我去学院路有点事,想起你家正好在那儿,就去看你,可邻居
　　说你搬家了。
　　女：对,我搬到城里住了,这样离我爱人的单位近一点。
　　问：女的以前住在哪儿?
　　　C

34. 女：咱们的孩子该管管了,总是乱花钱。
　　男：还不是你给的? 现在还说什么?
　　问：男的是什么态度?
　　C

35. 女：你是河北人吧?
　　男：我生在河北,在湖北上了四年大学后,才来东北工作的。
　　问：男的在什么地方上的大学?
　　B

# 第三部分

36 题到 37 题是根据下面一段话:
　　以报纸问卷形式进行的全国农村彩电市场需求调查结果表明,随着农村物质生活水平的
提高,农民对精神生活改善的需求正在迅速上升。电视机已逐步取代收音机成为中国农村家庭
文化娱乐、信息传播的主要载体。目前农村市场正处在彩电替代黑白电视的阶段,价位在 2000
元左右,17 寸～19 寸的彩色电视机将成为消费主流,音像清晰是消费者对质量的最主要的要
求。在进口和国产电视的选择上,农村消费者几乎百分之百选择国产电视,国产电视机在农村
有巨大的市场潜力。
36. 目前农村电器消费市场正处于什么阶段?
　　B
37. 下面哪个不是农民对电视机的要求?
　　B

38 到 39 题是根据下面一段话:
女：哎,古南又举办个人展了,你知道吗?
男：在美术馆的那个是吧? 我已经看过了。我认为他是能够突破传统的书法家之一。比较起来,

250

他的画不如书法成熟。

女：是吗？我倒觉得他的画更自然，很有天赋。

男：不过无论是书法还是绘画，反正他都有自己的特色，是吧？

女：当然。今天晚上有一个他的作品讨论会，你参加吗？我这儿有请柬，我不能去。

男：是吗？太好了。

38．关于这个画展两人看法怎么样？

    D

39．女的请男的干什么？

    C

40到42题是根据下面一段话：

    3月16日中午12时40分左右，长江重庆段发生水翼船与客轮相撞的特大事故。到3月17日下午，有11人死亡，16人重伤，28人轻伤。据目击者介绍，当时鸿运14号客轮从重庆驶往涪陵，另一上水客轮迎头开来，并排而过，两船相距只有20余米。这时，从涪陵开往重庆的天鸥2号高速水翼船从两船之间高速插上，一声巨响，与"鸿运"迎头相撞。此次事故原因，正在调查之中。

40．这次事故发生在什么时候？

    B

41．事故发生时现场有几艘船？

    C

42．目前有多少人受伤？

    D

43到44题是根据下面一段话：

女：知道吗？沈萍马上就要调到咱们公司驻上海办事处了，至少要在上海待两年。

男：是吗？那她还不乐死了，用不着每年花那么多钱探亲了。她父母年纪都大了。

女：可以照顾她父母了。而且上海有那么多时髦的衣服，沈萍老嫌咱们这儿土气。

男：她还觉得北方的饭简直没法吃，怎么吃都吃不惯，这下儿可以回去饱口福了。她什么时候走？准备好了吗？

女：早好了，14号。

43．关于沈萍下面哪句话是错误的？

    C

44．沈萍什么时候去上海？

    C

45到48题是根据下面一段话：

    眨眼病是一种少儿眼病，犯病时，眨眼次数增多。最近，该种病病因已查清。在被调查的138例患儿中，最小的2岁，最大的11岁，其中3~7岁的发病率居各年龄段之冠。病史询问均有看电视史，每天1~8小时不等。临床观察表明，眨眼症是少儿长时间看电视引发的现代文明病。电视影像变化速度快,画面闪烁,长时间看电视可引起视觉高级中枢的过度兴奋。由于少儿视觉发育尚不健全,视觉超兴奋便会引起一种防卫性动作——眨眼。而患儿停看一段时间电视后,眨眼症便会在较短时间内消失。

45.这段文字中心意思是什么?

　A

46.少儿眨眼症在多大的孩子中最常见?

　B

47.电视画面的哪种特性没有被提到?

　B

48.根据这段文字,少儿眨眼症:

　A

49到50题是根据下面一段话:

男:你们怎么洗的,怎么这么黑?

女:这恐怕不是我们洗的原因,而是您照得有问题。

男:我的问题?那为什么还是这张我上次洗就不黑?你看,上面浅蓝的衣服变成深蓝,红苹果也不红了,天也这么暗。

女:那就再给您洗一张吧。

49.对话发生在什么地方?

　A

50.洗得太黑,男的认为是什么原因?

　A

# 第八套标准答案

## 一、听力理解

### 第一部分

1.B  2.D  3.C  4.C  5.C  6.C  7.D  8.D  9.A  10.A  11.C  12.A  13.C  14.D
15.A

### 第二部分

16.B  17.C  18.A  19.D  20.B  21.C  22.A  23.D  24.B  25.D  26.D  27.B
28.B  29.C  30.D  31.D  32.A  33.C  34.C  35.B

### 第三部分

36.B  37.B  38.D  39.C  40.B  41.C  42.D  43.C  44.C  45.A  46.B  47.B
48.A  49.A  50.A

## 二、语法结构

### 第一部分

51.C  52.D  53.C  54.B  55.B  56.C  57.C  58.D  59.A  60.D

### 第二部分

61.D  62.C  63.B  64.B  65.C  66.D  67.D  68.B  69.D  70.C  71.B  72.C
73.D  74.D  75.B  76.D  77.B  78.B  79.C  80.C

## 三、阅读理解

### 第一部分

81. C　82. B　83. B　84. D　85. A　86. A　87. D　88. C　89. A　90. C　91. D　92. B
93. D　94. A　95. C　96. B　97. C　98. A　99. D　100. B

## 第二部分

101. B　102. C　103. B　104. C　105. D　106. C　107. A　108. B　109. C　110. B　111. D
112. B　113. D　114. A　115. C　116. B　117. A　118. D　119. A　120. A　121. B　122. C
123. B　124. C　125. C　126. A　127. D　128. D　129. C　130. D

# 四、综合填空

## 第一部分

131. B　132. B　133. B　134. B　135. A　136. C　137. D　138. B　139. B　140. A　141. B
142. B　143. B　144. C　145. A　146. B　147. A　148. C　149. C　150. B　151. C　152. A
153. C　154. A

## 第二部分

155. 息　156. 识　157. 生　158. 带　159. 趣　160. 音　161. 子　162. 肤　163. 踪
164. 索　165. 理　166. 折　167. 响　168. 逝　169. 接　170. 名

# 北京大学出版社对外汉语书目

| 书　　名 | 编著者 | 定　价 |
|---|---|---|
| ＊汉语初级教程（1—4 册） | 邓　懿等 | 120.00 元 |
| ＊汉语中级教程（1—2 册） | 杜　荣等 | 48.00 元 |
| ＊汉语高级教程（1—2 册） | 姚殿芳等 | 60.00 元 |
| ＊标准汉语教程（上册 1—4） | 黄政澄等 | 100.00 元 |
| ＊标准汉语教程（下册 1—2） | 黄政澄等 | 60.00 元 |
| ＊参与——汉语中级教程 | 赵燕皎等 | 40.00 元 |
| 中级汉语阅读教程（Ⅰ、Ⅱ） | 周小兵等 | 80.00 元 |
| 中级汉语精读教程（Ⅰ、Ⅱ） | 赵　新等 | 78.00 元 |
| ＊汉语情景会话 | 陈　如等 | 26.00 元 |
| ＊趣味汉语 | 刘德联等 | 12.50 元 |
| ＊趣味汉语阅读 | 刘德联等 | 9.50 元 |
| ＊新汉语教程（1—3） | 李晓琪等 | 85.00 元 |
| 中国剪影 | 李晓琪等 | 28.00 元 |
| ＊话说今日中国 | 刘谦功 | 46.00 元 |
| 交际文化汉语（上、下） | 李克谦　胡　鸿 | 60.00 元 |
| ＊读报刊　看中国（初级本） | 潘兆明等 | 20.00 元 |
| ＊读报刊　看中国（中级本） | 潘兆明等 | 25.00 元 |
| ＊读报刊　看中国（高级本） | 潘兆明等 | 25.00 元 |
| ＊汉语初级听力教程（上册） | 林　欢等 | 32.00 元 |
| ＊汉语中级听力教程（上册） | 潘兆明等 | 28.00 元 |
| ＊汉语中级听力教程（下册） | 潘兆明等 | 38.00 元 |
| ＊汉语高级听力教程 | 幺书君 | 30.00 元 |
| 中高级对外汉语教学等级大纲（词汇·语法） | 孙瑞珍等 | 29.00 元 |
| ＊对外汉语教学中高级课程习题集 | 李玉敬等 | 30.00 元 |
| 中国家常 | 杨贺松 | 12.50 元 |
| 中国风俗概观 | 杨存田 | 16.80 元 |
| 外国留学生汉语写作指导 | 乔惠芳等 | 26.00 元 |
| ＊现代千字文 | 张朋朋 | 25.00 元 |
| 汉字津梁——基础汉字形音义说解（附练习册） | 施正宇 | 40.00 元 |
| ＊商用汉语会话 | 郭　力 | 10.00 元 |
| ＊汉语交际手册 | 王晓澎等 | 15.00 元 |
| ＊初级汉语口语（上） | 戴桂芙等 | 40.00 元 |
| ＊初级汉语口语（下） | 戴桂芙等 | 50.00 元 |
| ＊中级汉语口语（上） | 刘德联等 | 28.00 元 |

| | | |
|---|---|---|
| ＊中级汉语口语(下) | 刘德联等 | 28.00 元 |
| ＊高级汉语口语(上) | 刘元满等 | 30.00 元 |
| ＊高级汉语口语(下) | 祖人植等 | 30.00 元 |
| ＊最新实用汉语口语(上下) | 张 军 | 55.00 元 |
| ＊速成汉语 | 何 慕 | 25.00 元 |
| 问和答——速成汉语口语(英、法语注释) | 陈晓桦等 | 20.00 元 |
| 汉语词汇与文化 | 常敬宇 | 12.00 元 |
| 汉语与文化交际 | 杨德峰 | 15.00 元 |
| ＊走进中国(初级本) | 杨德峰等 | 25.00 元 |
| ＊走进中国(中级本) | 任雪梅等 | 25.00 元 |
| ＊走进中国(高级本) | 刘元满等 | 25.00 元 |
| ＊英汉对照韵译毛泽东诗词 | 辜正坤译 | 18.00 元 |
| 老子道德经(汉英对照) | 辜正坤译 | 15.00 元 |
| 东周列国故事选(汉英对照) | 胡志挥译 | 18.00 元 |
| ＊唐宋诗一百五十首(汉英对照) | 许渊冲译 | 15.00 元 |
| 唐宋诗一百五十首(汉英对照) | 许渊冲译 | 15.00 元 |
| 汉魏六朝诗一百五十首(汉英对照) | 许渊冲译 | 15.00 元 |
| 元明清诗一百五十首(汉英对照) | 许渊冲译 | 15.00 元 |
| 白话论语(注音本) | 武惠华 | 18.50 元 |
| ＊中国古代诗歌选读 | 钱 华等 | 15.00 元 |
| 汉语古文读本 | 王 硕 | 25.00 元 |
| 汉语常用词用法词典 | 李晓琪等 | 58.00 元 |
| 常用汉字图解 | 谢光辉等 | 85.00 元 |
| 汉字书写入门 | 张朋朋 | 28.00 元 |
| 实用汉语修辞 | 姚殿芳等 | 16.00 元 |

标＊号者均有磁带,磁带每盘 8.00 元

### 对外汉语光盘

| 名　　称 | 片数 | 定价 |
|---|---|---|
| HSK 八级快车 | 一片 | 98.00 元 |
| 标准汉语教程(上、下) | 二片 | 496.00 元 |
| 汉语拼音速成 | 一片 | 88.00 元 |
| 汉语口语 900 句 | 一片 | 150.00 元 |

购书及磁带联系人:孙万娟　　　　　　购光盘联系人:杨秀亭
邮编:100871　　　　　　　　　　　　电话:(010)62757513
电话:(010)62752016
传真:(010)62752029